LE MANTEAU
DE GRETA GARBO

NELLY KAPRIÈLIAN

LE MANTEAU
DE GRETA GARBO

roman

BERNARD GRASSET
PARIS

Photo de la bande : J.F. Paga © Grasset, 2014.

ISBN 978-2-246-85233-9

I.

Son corps s'était désintégré depuis longtemps et pourtant elle se tenait devant nous, démultipliée en une centaine de vêtements comme autant de secondes peaux qui en avaient épousé les courbes et en réincarnaient la forme jusqu'au trouble. Ils l'avaient protégée du froid, du regard trop insistant des autres, des fans ou des paparazzi qui la traquaient sans merci, comme les armures protégeaient jadis les soldats puis, fatalement, leur survivaient longtemps après qu'ils aient perdu leur ultime bataille, ce combat que tout être livre avec le temps. Ici encore, les vêtements avaient gagné la partie et avaient fini par l'ensevelir. Des robes années trente et quarante, dans des dégradés de teintes neutres, des gris, des noirs, des grèges. C'était un peu plus tard, au milieu des années quarante, juste après avoir arrêté le cinéma, qu'elle s'était mise à acheter des vêtements colorés : des camaïeux de rose au carmin, du bleu le plus profond au mauve le plus pâle. Il y avait aussi une multitude de manteaux, ceinturés ou très larges, en laine pour le jour, en satin ou en velours pour le soir. Des cols roulés près du corps, des pantalons fuselés, des chemises, par dizaines, et ces souliers Ferragamo qu'elle faisait faire sur mesure à Florence et qu'elle portait tous les jours, avant de les remplacer, quand elle vieillirait, par de simples tennis. On trouvait aussi plusieurs ensembles Emilio Pucci, qu'elle adorait. Une multitude de chapeaux, de foulards, et ce qui signait son style : une multitude de lunettes noires. Une malle Vuitton et des sacs de voyage Hermès, où était inscrit GG ou Harriet Brown, son nom d'emprunt quand elle voyageait, qui atteindraient des sommes folles. Des manteaux de fourrure, des petits cabans, des tuniques en jersey, des trenchs dans tous les tons, des parures de tête à voilette, des écharpes Schiaparelli, un sac Gucci en cuir brun, d'autres en crocodile noir, des maillots deux pièces aux couleurs éclatantes, un léotard bleu pour faire du yoga, un tailleur Givenchy noir, un autre gris, une robe en satin noir Christian Dior de 1954, à doubles bretelles nouées, un tailleur rose vif qu'elle portait avec un sac assorti et un chemisier rose à pois blancs, un tailleur en laine bouclée turquoise acheté le 18 janvier 1964, des robes monacales signées Valentina et tant d'autres encore, qui étaient là alors qu'elle était morte.

Ce furent les objets qui avaient approché son visage au plus près qui partirent aux prix les plus élevés. Ses chapeaux, ses lunettes. Son fume-cigarette. En le recevant, l'acheteur l'avait-il porté à ses lèvres, se donnant l'illusion de pénétrer ainsi les siennes ? Elle avait passé son temps à fuir les journalistes et les photographes. Elle voulait que sa vie privée reste cela, « privée ». Pourtant, vingt-deux ans après sa mort, l'intimité de la star la plus secrète de l'histoire du cinéma se retrouve exhibée pendant trois jours puis vendue aux enchères chez Julien's à Beverly Hills.

Hormis ses films, il ne reste presque aucune trace de Garbo. Peu de lettres, peu d'enregistrements, de très rares entretiens. Parce qu'elle parle trop franchement à la presse, la MGM la trouve incontrôlable et lui interdit de répondre aux journalistes, ce qu'elle accepte, détestant l'exercice de l'interview. En revanche, elle laissait des vêtements, des objets. Huit cents pièces. Autant d'indices qui révèlent une facette de l'icône, pièces d'un puzzle à travers lequel elle signe sans s'en douter son autoportrait. La garde-robe d'une femme morte serait comme le testament de ce qu'elle fut intimement, puisqu'elle témoigne de son goût, et qu'il n'y a peut-être rien de plus révélateur d'une vie intérieure. Toutes ces pièces disaient sa façon de vivre, d'appréhender son existence, le monde et elle-même. Après la mort de Garbo, sa garde-robe était devenue l'ultime corps qui attesterait de ce que fut, vraiment, le premier. Le duplicata de son corps réel – son ombre matérialisée.

Au milieu des boots souples et plates roses, ou dorées, ou même noires à pois dorés, des briquet Cartier, poudrier or Verdura, de la boîte à cigarettes en bakélite cognac offerte par le baron de Rothschild, du service à cocktail avec shaker et gobelets argentés monogrammés, d'une broche en forme de G géant, trônait un étrange chapeau pointu rose. « Il faisait partie d'un déguisement qu'elle s'était fait faire pour un bal masqué. Elle adorait se déguiser en clown. Dans l'intimité, elle adorait faire le pitre », me confie Derek Reisfield, l'un de ses quatre petits-neveux, ses seuls héritiers qui mettent en vente sa garde-robe aujourd'hui. Même ses petits jouets défraîchis, ils avaient décidé de s'en débarrasser. Ces trolls avaient pourtant une histoire, et avaient jeté une ombre sur la santé mentale de Garbo lorsque son ami Sam Green avait raconté, dans un documentaire, avoir surpris ces poupées monstrueuses alignées sous le canapé de la star à New York : « Peu de temps après, je retournais prendre un verre chez Garbo, et alors qu'elle s'absentait à nouveau pour se rendre à la cuisine, je me précipitais sous le divan pour voir si les trolls étaient toujours là. Ils étaient bien là, mais disposés de façon différente. » Reisfield élucide aussitôt le mystère : « Nous allions voir ma grand-tante chaque semaine et elle cachait des jouets sous son canapé et ses fauteuils pour que nous les trouvions. C'était un jeu avec nous. Elle était incroyablement drôle et adorait faire des blagues. Le film qui la représente le mieux, c'est *Ninotchka* de Lubitsch. » Et c'était, de tous ses films, celui qu'elle préférait.

J'avais sélectionné une vingtaine de pièces et nous nous étions mis à les filmer. J'avais fait le pari que la garde-robe d'une femme morte peut raconter sa vie et ses secrets, que chaque vêtement aurait le pouvoir de nous ouvrir une porte sur une facette de sa personnalité, une étape de son existence, et dans le cas de Garbo, ferait même lien avec ses films les plus importants. Une robe de velours noir brodée de sequins, datant des années trente, faisait écho à la cape de velours noir qu'elle portait toute jeune, chaque jour, quand elle prenait des cours à l'Académie royale d'art dramatique de Stockholm et qu'elle voulait se donner une allure « théâtrale » ; mais la robe pouvait également renvoyer à ses tenues dans *Mata Hari*, ce qui permettrait d'aborder son rôle supposé d'agent secret pour le MI5 pendant la guerre, puis sa personnalité ambivalente ; les pantalons, qu'elle ne quittait jamais dans un temps où les femmes étaient astreintes à porter robe ou jupe, témoigneraient de sa masculinité, de son ambiguïté sexuelle, mais aussi de son indépendance farouche ; ses souliers, toujours plats, d'une volonté de ne pas séduire selon les codes habituels du sex-appeal, une revendication de se déplacer rapidement et à son aise, de ne pas être entravée, jamais et par rien, une liberté, encore, d'attitude. Ce que j'avais sous les yeux témoignait bien de « la première femme moderne », comme me l'avait suggéré Derek Reisfield. Cette garde-robe, il l'avait conservée pendant des décennies, il ne savait plus qu'en faire. Pendant sa carrière à Hollywood, de 1926 à 1941, puis pendant le demi-siècle qui allait suivre, Garbo avait accumulé, puis leur avait tout légué, ses millions, son appartement new-yorkais, ses vêtements et ses œuvres d'art, et c'est pourtant eux qui la trahissaient une ultime fois. Quel besoin avaient-ils de vendre ses pyjamas, ses petits jouets dérisoires, même ses mouchoirs, ou ce linge de coton blanc comme un linceul de son passé de star, qui servait de nappe à maquillage à la MGM ou de linge à démaquiller, sur lequel le masque de fond de teint de la star avait dû s'imprimer plus d'une fois et qu'elle avait gardé, seul objet de la MGM et de ses années de cinéma qu'elle avait conservé, comme la relique de ce qui l'avait tant de fois aidée à se séparer de ce fin voile de fard qui la travestissait en star de cinéma alors qu'elle n'avait jamais voulu être qu'elle-même, une femme ? Au fond, je leur en voulais. A Scott Reisfield, que je croise au cocktail donné par Julien's la veille de la vente : « Pourquoi vendez-vous ses pyjamas ? » Il me répond, gêné : « Vous remarquerez que nous ne vendons pas ses soutiens-gorge. »

Elle roule en décapotable les cheveux au vent, de Santa Monica où elle réside à ses débuts aux studios de la MGM, elle est la plus belle femme du monde, la première star de cinéma à inaugurer et à subir l'ère de la célébrité, traquée par les médias qui fouillent le moindre de ses secrets. Elle ne s'en remettra jamais. Cecil Beaton, avec qui elle eut une liaison, vendit contre son gré des photos d'elle à *Vogue*, et livrera les détails de leur histoire dans son journal intime. Mercedes de Acosta, la tombeuse mondaine et lesbienne (elle eut aussi Isadora Duncan et Marlene Dietrich), racontera leur liaison dans ses mémoires, *Here Lies the Heart* (ici ment le cœur ?). Elle fumait deux paquets de cigarettes par jour. Des Sherman's. Elle buvait de la vodka, du whisky, deux verres par jour, tous les jours. Elle se baladait autour du monde avec Aristote Onassis et Cécile de Rothschild. De yachts en hôtels de luxe. Cultivant pendant quarante-neuf ans la frivolité comme la plus sûre des échappatoires.

La garde-robe a été pulvérisée, éparpillée aux quatre coins du monde. Nous étions dix dans la salle, rivalisant avec autant d'ordinateurs connectés au monde entier.

Chacun de nous s'en ira avec un fragment du corps de la star qu'il aime, et qu'il s'est enfin approprié par la grâce d'un seul objet, petit fétiche donnant l'illusion de participer au grand tout de sa vie. Il pourra toucher, caresser, effleurer chaque jour la relique de cette femme qu'il n'est pas, de ce corps qu'il n'a pas. Ricky, l'homme à tout faire de Julien's, emballe chaque vêtement dans du plastique à bulles, comme s'il s'agissait de n'importe quel objet acheté aux puces. Chacun tient solidement son sac en carton sous le bras, le cœur battant, seul à savoir que son paquet enferme un trésor : un fragment d'une vie hors norme ; un chapitre d'une histoire ; Greta Garbo. La nuit est déjà tombée sur Los Angeles. Les rues de Beverly Hills sont désertes, il fait chaud, un temps de printemps anachronique des guirlandes lumineuses qui ornent les longs palmiers, et des comptines de Noël qui s'échappent, lointaines, des portes de Barneys. Dans dix jours, ils fêteront Noël. Ils seront entre amis, en famille. Mais les 14 et 15 décembre 2012, lentement dépecée, Greta Garbo est morte une deuxième fois.

La première fois, c'était en 1990, à New York, à l'âge de quatre-vingt-quatre ans. Elle n'avait plus fait de cinéma depuis quarante-neuf ans, depuis *La Femme aux deux visages*, cadeau empoisonné de George Cukor. Loin des plateaux, elle avait passé des décennies à ne plus avoir accès aux costumes d'Adrian, à devoir se débrouiller seule pour trouver le vêtement juste, la tenue adéquate à chaque instant, chaque scène imprévue que la vie allait l'obliger à affronter. Alors elle avait amassé des robes, et encore plus de robes, et des manteaux, des tailleurs, des souliers dans toutes les teintes, tous les camaïeux, pour ne pas se retrouver démunie selon le moment, l'heure et le jour, selon les aléas du scénario qu'allait lui imposer le réel, comme si elle s'était mise en position d'avoir à sa portée le costume ou l'accessoire parfaits pour mieux s'adapter à chaque rôle, chaque scène qu'elle allait devoir jouer à l'ombre des caméras : elle-même, dans sa propre vie, sans que rien ne soit écrit à l'avance.

Maquillée, coiffée, juchée sur des talons vertigineux, sanglée dans une robe courte, Cora Sue Collins, quatre-vingt-six ans, balaie d'un geste l'étendue des robes exposées : « Je ne reconnais pas la garde-robe de Garbo, je n'ai jamais vu ces vêtements sur elle. » Elle fut l'une des premières stars enfants de Hollywood, travaillant, de cinq à dix-huit ans, avec les plus grands acteurs des années trente et quarante. Elle rencontre Garbo en 1932 sur le tournage de *La Reine Christine*, où elle-même interprète la reine à cinq ans. Un jour, Garbo l'invite à prendre le thé dans sa loge : quand la mère de la petite lui amène l'enfant, elle fait entrer Cora mais claque la porte au nez de l'adulte. « Nous sommes restées liées toute notre vie, nous déjeunions régulièrement ensemble, et Garbo portait toujours un pantalon, une chemise et des tennis. Elle était très simple, avec un style sportif. Elle ne portait une robe que pour les grandes occasions. »
Dans son appartement de Manhattan, Garbo avait ouvert les portes de son dressing à son décorateur, Billy Baldwin, lui montrant des centaines de robes : « Je n'en ai jamais mis une seule. »

Elles n'étaient pas son genre. Alors pour qui, pour quoi les avait-elle achetées ? Pour la femme qu'elle aurait aimé être, pour une vie qu'elle n'avait pas, une vie « rêvée » se déroulant ailleurs, dans le scénario mental où elle se mettait elle-même en scène ? Ou pour correspondre à une image acceptable, pour se travestir en une autre, ou parce que, pendant le demi-siècle où elle n'a plus tourné, elle continuait de s'appréhender comme une actrice, avec à sa disposition la réplique maladroite du département costumes de la MGM ?

« Le parfum, les vêtements, les accessoires permettent aux femmes de jouer les rôles qu'elles souhaitent dans la vie. Est-ce la même chose pour une actrice ? Ou vous limitez-vous au cinéma ?

— C'est important, oui, mais un peu angoissant pour moi car c'est quelque chose qui n'est pas résolu, et n'étant pas résolu, cela prend d'autant plus d'importance. Le style, c'est un puits sans fond. Autant pour un rôle au cinéma, tout est défini, et le style permet d'approcher, sommairement d'abord puis de façon plus définitive, les contours d'un personnage. Alors que pour moi, dans la vie, tout est possible, tout est d'ailleurs tellement possible que cela peut devenir une source d'angoisse. C'est quelque chose qui me renvoie plutôt à une forme de non-existence que d'existence. Là où je suis définie, c'est dans les films, là où je ne suis pas définie, c'est dans la vie. Alors dès qu'il s'agit de l'être, c'est plutôt source d'interrogation que de satisfaction. Qui suis-je ? »

C'est Isabelle Huppert, que j'interviewais alors, qui

allait me signaler la vente de la garde-robe de Greta Garbo.

Elle s'était réfugiée dans un magnifique appartement de Manhattan et elle avait passé un demi-siècle à faire du shopping, à accumuler les meubles, les bibelots, les tableaux, les vêtements et les accessoires, comme s'il lui avait fallu superposer plusieurs couches de matière à l'intérieur de son appartement – pour mieux s'y calfeutrer et s'y sentir protégée. Une accumulation d'étoffes qui l'avaient peu à peu dissociée des autres, coupée du corps des autres. Elle eut un semblant de vie privée, puis plus de vie privée du tout. Toutes ses robes formèrent un rempart. Garbo s'était murée dans une citadelle imprenable, une citadelle de vêtements. Une gangue ou une armure très douce que plus personne ne pourrait pénétrer.

Pourquoi s'achète-t-on des vêtements ? Pour plaire, séduire, piéger l'autre sexuellement, pour jouer le jeu social qu'on s'est choisi ou qu'on nous a assigné ? Pour changer de peau et devenir une autre, se mettre en scène mentalement dans une vie parfaite ? Se faire belle ou s'enlaidir, se rendre attirante ou repoussante, ou se parer d'une armure ou encore vouloir être déshabillée ? J'ouvrais mes armoires remplies de robes que je ne portais pas, trop habillées, de souliers à talons que je ne portais pas, trop hauts, de fourrures que je ne portais pas, trop voyantes, de sacs que j'utilisais peu, trop siglés. D'un côté, il y avait mon corps, vêtu d'un uniforme (pantalon noir, pull noir, ballerines noires) pour habiter au mieux mon quotidien, et de l'autre, mon vrai goût, mon désir dont je me sentais comme séparée. Chaque vêtement acheté m'offrait un rôle rêvé au cœur d'une vie que je n'avais pas. Ma garde-robe était une fiction. Grâce à elle, je menais une vie qui n'existait pas. J'avais, en quelque sorte, une double vie. Je détenais une arme face au monde réel quand il me rendait triste. Une seconde peau qui m'apportait tout le romanesque que ne m'apportait pas toujours la peau, même plus douce, même plus érotique, d'un autre.

« No, Carlos. »

Est-ce pour en arriver à dire cette phrase, à dire « non », que Lizabeth Scott multiplie les morts sur son passage ? Scott est la première actrice à devenir l'héroïne à part entière d'un film noir. Dans *Too Late for Tears* de Byron Haskin (1949), elle incarne une femme qui tue tous les hommes qui l'approchent, son mari y compris, dès qu'ils s'opposent à son désir. Icône du film noir américain, blonde dangereuse moins belle que Lana Turner ou Barbara Stanwyck mais plus bizarre, elle incarne une nouvelle sorte de femme fatale. Si les Turner et Stanwyck se faisaient tueuses – de maris, ces hommes qui restreignent les femmes qu'elles auraient pu être si elles ne s'étaient pas retrouvées piégées dans une vie minable avec eux – en utilisant d'autres hommes comme outils de leurs meurtres par procuration (*Le facteur sonne toujours deux fois* ; *Assurance sur la mort*), Lizabeth Scott s'arme elle-même, flingue elle-même. Elle est l'ombre anorexique, sauvage, cruelle et froide de ces femmes qui restent encore femmes puisqu'elles passent par la séduction pour s'approprier la force des hommes. Son

17

mari, Scott l'élimine avec préméditation, dès le début du film, dès qu'il veut l'empêcher de garder les centaines de milliers de dollars qu'un type vient de balancer par erreur dans leur voiture sur Sunset Boulevard. Le film s'ouvre ce soir-là, quand ils filent à toute allure chez des amis et se disputent : Lizabeth Scott refuse de se rendre à ce dîner parce que la femme du couple qui reçoit, beaucoup plus riche, la méprise du haut de ses robes couture et de ses diamants. Alors l'argent volé lui offre ce possible : acquérir la même garde-robe que cette Autre femme. La première chose qu'elle achète : une étole en vison, qu'elle s'empresse de cacher comme un secret inavouable. Le désir d'être une autre, de devenir enfin celle qu'elle a rêvé d'être, d'accéder au camp de celles qui « en ont » : c'est sur l'autel de l'Autre femme qu'elle sacrifiera tous les hommes sur son passage, tentant par leur refus d'entraver sa métamorphose en marche. *Too Late for Tears* nous parle de ce désir de se travestir en une Autre pour s'approprier un peu du pouvoir qu'on lui prête. Tout au long du film, Lizabeth Scott se bat pour devenir cette Autre fantasmée, et ce que nous dit cet étrange cauchemar, aussi systématique qu'une pathologie, c'est qu'à la base de toute métamorphose, il y a du sang, que celle-ci ne s'accomplit qu'au prix d'un meurtre. Pourquoi tous ces morts ? Pour s'acheter des robes.

La dernière scène la montre sa métamorphose accomplie. Scott s'est réfugiée au Mexique, la police ne l'a pas (encore) rattrapée. Elle porte une longue robe du soir et une rivière de diamants, un bellâtre latino très Porfirio Rubirosa la raccompagne à la porte de l'ascenseur du grand hôtel où elle réside. Alors elle se retourne vers lui et lui déclare avec la plus grande douceur :

« No, Carlos. »

La volupté de dire non à un homme, de le rejeter, de dire non au sexe, c'est le vêtement qui va la lui apporter, comme si l'élégance pouvait être plus voluptueuse que la sensualité, comme si l'argent permettant d'acheter la robe et les diamants n'avait eu pour seul enjeu que cela, depuis le début : dire « non ». Jouir du trouble d'être enfin soi-même, d'avoir réconcilié ses deux parts de soi : son corps réel avec le rêve, son corps trivial avec son image idéalisée. Alors les autres ? Plus besoin.

Les robes restaient dans ses armoires comme une peau enchantée qui ne serait jamais la sienne. Garbo ne se sentait coïncider avec elle-même qu'enveloppée dans une peau masculine : pantalon, pull ou chemise, chaussures plates, trench. A la fin de sa vie, dans les années quatre-vingt, elle allait s'habiller à Paris chez Alaïa et lui demandait de lui confectionner des manteaux de plus en plus larges. Elle fut l'une des premières femmes, avec Marlene Dietrich et Katharine Hepburn, à porter le pantalon tous les jours. Mais elle fut la toute première à l'imposer le soir. « Ma mère m'a raconté le premier soir où elles sont sorties dîner à Caneel Bay, un port chic des Caraïbes. Toutes les femmes étaient en robe ou jupe comme cela était exigé. Ma mère et ma grand-tante sont entrées dans le restaurant et ont provoqué un sacré buzz : Garbo était en pantalon ! Le soir d'après toutes les femmes portaient le pantalon, et beaucoup remercièrent Garbo. A l'une d'elles, elle répondit : "Je voulais juste dîner, pas servir de dîner aux moustiques" », se souvient Derek Reisfield dans le catalogue de l'exposition. Au milieu des années cinquante, c'est son nouvel ami, Aristote Onassis, qui était intervenu personnellement pour que Garbo puisse entrer au Sporting club et au Casino de Monte-Carlo en pantalon – alors que Marlene Dietrich s'en était vu interdire l'entrée peu de temps auparavant pour la même raison. « Garbo avait un sens aigu de ce qui lui allait et de la façon de créer l'effet qu'elle souhaitait », poursuit Reisfield. Quant à sa haine des talons hauts : « Dans son autobiographie, Salvatore Ferragamo décrit la façon dont il a travaillé avec Garbo pour lui confectionner soixante-dix paires de chaussures quand elle se rendit à son atelier à Florence en 1949. Elle fut la première personne à repousser ses croquis. "Comme femme, Greta Garbo est charmante, avenante, intelligente – et sait exactement ce qu'elle veut. En fait, notre seul désaccord advint quand je voulus lui faire porter des talons… et qu'elle a refusé. Elle est la seule personne à s'être opposée à mes idées." A la fin, Garbo et Ferragamo se sont mis d'accord pour des souliers à petits talons. Ils étaient tous deux contents du résultat. »

Blonde platine, moue boudeuse, yeux bleus vaguement tristes, Lizabeth Scott devient l'archétype de la femme fatale dans les films noirs hollywoodiens. Quand elle ne joue pas les pauvres filles perdues issues de milieux simples, on l'affuble de robes en satin noir, de décolletés vertigineux, de bijoux étincelants et de longs gants sombres. Mais peu à peu, quelque chose se dérègle : la robe prend des allures de déguisement.

Dans le fourreau noir du sex-symbol vénéneux, l'actrice entame un étrange processus de disparition. Anorexique, elle devient de plus en plus anguleuse, ses joues finissent par se creuser, le visage se tend, se cerne, se durcit. Dans *Too Late for Tears*, le maquilleur tente désespérément de rendre à ses lèvres leur sensualité disparue en faisant déborder son rouge à lèvres. Ses cheveux courts, ses tailleurs de tweed flottant, qui ne soulignent plus aucune courbe, lui donnent l'air sévère. L'autre visage, l'autre corps qui affleure contredit le corps de cinéma que les studios lui imposent : un corps plus masculin est en train d'apparaître dans le costume de la femme sexuée, sexuelle, objet sexuel à destination du regard des hommes. Dans la vie, hors des studios, la garde-robe de Lizabeth Scott était aux antipodes de celle de ses films : chemise, pantalon, souliers plats. Elle se sentait bien, elle-même et en accord avec sa vie, dans des pièces empruntées au vestiaire masculin.

En 1955, les révélations du tabloïd trash *Confidential* firent scandale et mirent un terme à la carrière cinématographique de Lizabeth Scott. La fille qui s'habillait en homme hors studio aurait fait appel à un service de call-girls, et mené une liaison secrète avec Frédé, la tenancière d'une boîte lesbienne à Paris. Travestie en femme – sexy, vamp, hétéro – à l'écran pour séduire les hommes ? Ou travestie en homme dans la vie, la nuit, en quête d'autres femmes à aimer ?

Un jour, chez Jean-Jacques Schuhl, Ingrid Caven me dit : « Très jeune, je ne pouvais être amie qu'avec des travestis. Je sais pourquoi : parce qu'elles n'étaient pas érotiques. » Adolfo Arrieta est là. Il a tourné *Les Intrigues de Sylvia Couski* en 1975 dans lequel il met en scène Hélène Hazera et Marie-France. Je lui demande comment un travesti construit son image de femme. « Marie-France avait pris pour modèle Marilyn Monroe. Aujourd'hui, son modèle c'est Brigitte Bardot. » Que Marie-France ait été un homme habillé en femme comme on l'a dit, ou une femme, comme elle l'a plus tard affirmé, peu importe. Ce qui intrigue c'est ce jeu de rôles, ces reflets de soi, comment une femme se construit. Evidemment, « on ne naît pas femme on le devient ». Toute identité est une construction ; toute femme serait un travesti de femme. Comment une femme se travestit-elle en (une autre) femme ? Quelle est l'image qu'elle se choisit pour coïncider avec elle-même ? Quelle est la peau qu'elle va, comme Lizabeth Scott, choisir de revêtir ? Un jour, Maria Callas tombe émerveillée devant Audrey Hepburn dans *Vacances romaines* : c'est cette femme qu'elle veut incarner. Elle se coiffe comme elle, se maquille comme elle. Mais ça ne suffit pas. Alors elle s'inocule un ver solitaire et perd vingt kilos.

Et elle devient Maria Callas.

Pendant cinq ans, de *L'Ange bleu* (1930) à *La Femme et le Pantin* (1935), Josef von Sternberg érige, via sa poupée Marlene, une érection glamour. Le corps et le visage amaigris, les pommettes de plus en plus saillantes, les paupières de plus en plus tombantes soulignées de faux cils de plus en plus longs, des sourcils dessinés au crayon à une hauteur tellement extravagante que Dietrich se travestit non pas seulement en femme idéale selon Sternberg, en cette femme que Sternberg aime, ou aimerait être, qu'il vivra par procuration via le corps de cette femme qu'il s'approprie par le cinéma et ses costumes – Dietrich finira par ressembler à une telle parodie d'elle-même qu'elle en devient son propre travesti. C'est ainsi qu'elle coïncide avec elle-même, par le biais du regard d'un homme amoureux – un Pygmalion qui aime les femmes, qui les aime tellement qu'il voudrait revêtir leur peau et leur image –, pour mieux séduire d'autres hommes ? Ou seulement pour les tuer, parce qu'il les hait à force de les désirer sans en être aimé en retour ?

Dans *Le Silence des agneaux*, inspiré d'un fait divers réel, un serial killer kidnappe des femmes, les fait maigrir, les dépèce, assemble et coud leurs lambeaux de peaux sur un mannequin à sa taille pour se confectionner une robe qui lui permettra – littéralement – de vivre dans la peau d'une femme. Pour leur faire la peau, il doit d'abord les tuer. Sa métamorphose ne pourra advenir qu'au prix du sang des autres.

C'est Adrian qui lui fit « la peau ». Si Mauritz Stiller fut le premier à croire en Garbo, et à lui offrir son premier grand rôle (*La Légende de Gösta Berling*, 1924), c'est ce jeune costumier de la MGM qui la pare d'une nouvelle peau, celle de l'héroïne unique qu'elle allait devenir, la panoplie de la femme androgyne qui va tout conquérir – la liberté, le pouvoir, l'argent, la gloire, les hommes, les femmes, le monde.
Grande, grandes mains, grands pieds, voix grave,

23

Garbo dépare d'abord physiquement des poupées hollywoodiennes à la mode dans les années vingt, avec leurs frisottis blonds, leurs bouches en cœur, leurs robes à volants, à rubans, leurs chapeaux aux ornements compliqués, leurs fourrures, leurs avalanches de perles et de diamants, leur chihuahua sous le bras.

Adrian va inventer le style Garbo, avec Garbo : chapeau cloche ou chapeau feutre baissé sur l'œil, trench-coat, ce vêtement masculin que les femmes, après Garbo, vont s'approprier, des pantalons d'homme et des robes minimalistes. C'est sur le tournage de *A Woman of Affairs* (1928) de Clarence Brown. Elle conduit vite, elle a de l'argent et vit comme elle l'entend, voyage avec la jet-set de l'époque, s'autorise des amants, changeant de bras constamment, au risque d'être rejetée par la haute société à laquelle elle appartient.

A la fin, elle se sacrifie pour l'homme qu'elle aime, et elle meurt. A la fin, elle en avait assez de ces rôles idiots qu'on lui faisait jouer.

Pendant vingt ans, cette garde-robe avait dormi dans un vaste entrepôt frigorifié, comme on protégerait un étrange corps qui fut un temps vivant de la décomposition, une belle au bois dormant attendant pour l'éternité qu'un génie vienne la libérer, ou un prince, sauf que les princes n'existent pas – Garbo avait passé sa vie à le comprendre. Ses petits-neveux avaient espéré qu'un musée l'achèterait – mais aucun musée n'en avait les moyens –, sans jamais songer qu'ils auraient pu en faire don.

« Alors nous avons voulu permettre à ses fans de l'acquérir, parce qu'ils l'aiment vraiment et qu'eux seuls en prendront le plus grand soin », m'explique Derek Reisfield. J'en doutais.

« Quand Garbo a quitté les studios, le glamour s'en est allé avec elle », disait Adrian. Le glamour de Garbo tenait paradoxalement dans la simplicité et davantage, la perfection. On a beaucoup dit qu'elle se fichait de la mode – peut-être, mais pas de l'élégance, et l'élégance pour elle tenait dans les détails, auxquels elle apportait un soin maniaque. Parmi ses affaires vendues chez Julien's, une étrange machine en bois qui sert à mesurer, très précisément, la longueur des ourlets. Une personne éprouvant le besoin de posséder ce type d'objet ne plaisante pas avec la longueur d'un pantalon, ou d'une jupe, qui serait gâchée si elle se plaçait 1 cm trop court, ou 5 mm trop long. Seront également vendus plusieurs lots de boutons : Garbo changeait les boutons des vêtements qu'elle achetait, les jugeant souvent trop *cheap*. Tout, pour Garbo, le chic, la vie, résidait dans ces petits riens qui font tout. Un jour, elle suggère à Emilio Pucci d'assortir les boutons aux coloris éclatants de ses vêtements, conseil qu'il suivra. Elle aimait les créations roses, jaunes, turquoise du couturier qui fut aussi l'un des favoris de Marilyn Monroe, mais elle privilégiait une palette sobre. Quand elle aimait un vêtement, qu'elle le trouvait juste pour elle, elle l'achetait dans tous les tons : taupe, tête de nègre, grège, beige, blanc cassé, gris perle, anthracite, marine, bleu nuit, noir. Des teintes neutres et une neutralité qui faisait écran : peu de désir de donner aux autres de quoi s'accrocher à son corps par le relief qu'apporterait l'ornementation – bijoux, broches, étoles, rubans. Le vrai luxe selon Garbo, c'était la simplicité, une fidélité à un style qui avait traversé les décennies, une élégance intemporelle. *Fit the century, forget the year* était devenu son mantra. Si une garde-robe témoignait bien de la personnalité de la femme qui la possédait, alors celle de Garbo disait la droiture, la constance, une intransigeance de chaque instant. Quand Friedrich Wilhelm Murnau meurt le 11 mars 1931 dans un accident de voiture (il était en train de faire une fellation à son amant de quatorze ans, au volant de sa Packard), il sera très mal vu à Hollywood d'assister à ses funérailles à cause de son homosexualité, et seulement onze personnes s'y rendront. Garbo sera la seule star à oser s'y montrer et à se foutre de son image, fidèle, avant tout, à son ami et à un cinéaste qu'elle admire plus que les réalisateurs avec qui elle tourne à Hollywood.

Elle cultivait une certaine opacité comme un para-vent qui dissimulerait à la vue des autres son secret. Garbo cachée derrière la neutralité d'une garde-robe qui prolongerait sa réputation de Sphinx. Car derrière l'opacité de l'écran, on devinait la présence d'un monde invisible, plus vaste, comme sans limites, des contrées mystérieuses à découvrir – l'infini que ce visage, mini-maliste, avait si souvent renvoyé à celui qui le regardait se reflétait dans sa garde-robe. Le visage de Garbo, impassible, dans le dernier plan de *La Reine Christine*, qui irradie toutes les émotions. Rouben Mamoulian lui avait demandé de ne penser à rien. Un visage et un style qui ne révéleraient rien pour mieux offrir à ceux qui regardaient la possibilité de s'y retrouver eux-mêmes, d'y déposer en offrande leurs émotions, leurs prières, transcendées non plus seulement par une star, ni une célébrité, même plus une actrice : une icône. Même après avoir quitté les studios, même après que les années soient passées, Garbo est restée fidèle à « son » style. Elle n'a cessé, chaque matin, jusqu'en 1990, de revêtir la peau qu'Adrian lui avait choisie en 1928.

« Un homme cherche toujours à changer une femme, à la faire ressembler à son désir. Un homme n'aime pas une femme pour qui elle est, mais pour ce qu'il veut qu'elle soit », m'avait dit Alain Robbe-Grillet, entre une réponse sur la littérature et une autre sur son sadisme. Métamorphoser une femme pour l'adapter à son désir, c'était toujours la déposséder d'elle-même. La faire sienne. La faire chose. La posséder, via le style, corps et âme. La tuer, un peu, à chaque fois.

Alors à chaque fois, c'était pour moi comme le début de la fin. Je réagissais mal dès que l'un de mes amants essayait de me changer – changement qui passait toujours, étrangement, par le vêtement. Je vivais cela, qui avait l'air si anodin, comme une négation. Une façon de me signifier que je n'étais pas assez bien, qu'il me manquait quelque chose pour être tout à fait aimable – pour coïncider avec leur désir. Je réagissais mal et ils ne comprenaient pas : un vêtement, ça n'était pas grand-chose, c'était même rien. Mais alors si ça n'était rien, pourquoi vouloir m'en faire changer ? Au contraire, le vêtement devenait, parfois, étrangement, tout. L'enjeu au cœur d'un rapport de forces. Change-toi, et ainsi, tu seras à moi, car un homme n'aime une femme que dans sa reddition totale, comme si ça le rassurait, comme s'il pouvait devenir ainsi, face à elle, enfin un homme. Il y avait eu P., l'adorable P., qui me reprocha de m'acheter des « fanfreluches », mais quelques jours plus tard me dit en m'enlaçant : « Ce que j'aime, chez vous, c'est que vous n'êtes jamais la même. Vous êtes à chaque fois une femme différente. » Puis il y eut F., le dandy anglophile qui passait ses après-midi chez son tailleur à veiller à la coupe parfaitement 1936 de ses costumes. Il était tombé amoureux pour mes longues jambes aux talons hauts, disait-il. Dès le début de notre liaison, il m'interdit les talons. Puis les robes, les jupes. Il se mit à exiger des pantalons de tweed, des couleurs claires – il détestait le noir qu'il amalgamait au malheur – pour me faire aller vers la lumière, le bonheur, disait-il, sans comprendre qu'il me rendait de plus en plus malheureuse à force de me sentir si peu aimée. Il exigea des colliers de perles, des cheveux lissés – il tentait déjà de me pardonner de ne pas être blonde, de ne pas être bourgeoise, de ne pas avoir d'enfants, ni de parents, bref, de ne pas être conforme.

Chaque jour, il notait ma tenue (ça n'allait jamais vraiment). Un jour, alors que nous déjeunions ensemble, alors qu'il ne me touchait plus, il me lança : « Si tu portais une chemise blanche très cintrée, comme celle que porte Maureen O'Hara dans *L'Homme tranquille*, sur un soutien-gorge en dentelle noire, je t'aurais déjà entraînée dans les vestiaires pour t'embrasser. » Peu de temps auparavant, alors qu'il tentait de me faire comprendre l'importance du style, il m'avait déclaré : « Ma chérie, la vie, c'est une longue aventure vestimentaire ! » Et nous avions éclaté de rire. Un an plus tard, alors que je rejoins à New York un homme rencontré trois semaines plus tôt à Deauville, je porte un soutien-gorge noir sous une chemise blanche. Quand nous nous sommes croisés à Deauville, il portait un polo rose pâle, un pantalon blanc, et moi, un petit pull et un pantalon noirs, et il avait remarqué d'un sourire qui avait illuminé un visage tendu : « Vous êtes habillée comme le Dahlia noir. » Le lendemain de notre première nuit à New York, il ramasse au pied du lit la chemise blanche et le soutien-gorge noir : « Ma chérie, sous une chemise blanche, il faut toujours porter un soutien-gorge blanc. » Il me raconte deux fantasmes : « Tu portes un jean mais tu es seins nus et je te regarde te coiffer devant un miroir. » Un jean... Dans ma valise : des pantalons en tweed et des jupes crayon, et je réalise que tous ces nouveaux vêtements, je les ai achetés non pas pour plaire à J. comme je le croyais, mais pour enfin plaire à F., lui montrer que je peux être, enfin, une femme « complète ». Je suis devenue, par les vêtements, le produit de synthèse des désirs de tous les hommes que j'ai aimés. Je n'ai fait que transposer le désir de F. à J., faisant du désir du premier une règle universelle, comme si F. savait, lui, ce qu'est une « femme ». Et je l'avais peut-être choisi pour cela, au fond, pour qu'il me le révèle enfin. Je me rends compte que je ne le sais toujours pas, et que je risque de passer ma vie à le chercher à travers ces témoins de moi, tellement changeants, que sont les hommes, qui me renvoient à chaque fois une image de femme différente, un désir différent.

« Dans un autre fantasme, tu es nue face au miroir. » Je lui fais remarquer qu'à chaque fois, il y a un miroir. Son vrai fantasme : le miroir qui me duplique ? Je suis venue en projetant F. sur J., il me désire en me dédoublant – de l'image ou de moi, de mon reflet ou de la femme, je ne saurais jamais de qui cet homme a été amoureux. Mais je sais que ça ne durera pas, que l'histoire est *déjà* terminée. Il vient de me révéler que je suis condamnée à être un double. Un *remake*. Celui d'une autre femme, disparue depuis longtemps, un fantôme, une morte – un duplicata impossible, qui porte en elle sa propre condamnation.

« Ce qui m'intéressait le plus était les efforts que faisait James Stewart pour recréer une femme, à partir de l'image d'une morte. »
Alfred Hitchcock.

« Justement les scènes que je préfère sont celles où James Stewart emmène Judy chez le couturier pour lui acheter un tailleur identique à celui que portait Madeleine », lui dit Truffaut lorsqu'ils abordent *Vertigo* au cours de leurs entretiens, « le soin avec lequel il choisit des chaussures, comme un maniaque... ». « C'est la situation fondamentale du film, répond Hitchcock. Tous les efforts de James Stewart pour recréer la femme, cinématographiquement, sont montrés comme s'il cherchait à la déshabiller au lieu de la vêtir. » Pour se l'approprier enfin, ce corps qui lui a échappé dans la mort, puis qu'il retrouve déformé par des vêtements vulgaires, qui ne correspondent pas à la femme morte dont il rêve encore. *Vertigo* est le grand film de l'obsession amoureuse. Vu par le prisme du vêtement, il est le film qui en proclame l'importance sidérante dans ce qui se joue entre hommes et femmes. Au centre d'un film divisé en deux parties, comme les deux côtés d'un miroir, une seule et même femme : Kim Novak. Ce qui la change, c'est le style : couleur de cheveux, maquillage, vêtements, souliers. A croire que Scottie (James Stewart) serait davantage tombé amoureux d'une garde-robe – tailleur gris strict, escarpins noirs, foulard blanc, manteau blanc – que d'une femme. Quand il retrouve cette femme après l'avoir pourtant vue mourir, elle s'appelle Judy. Elle est rousse, très maquillée, porte une robe verte moulante, des bijoux clinquants. Ce n'est pas elle qu'il aime, mais l'autre, la garde-robe de l'autre, qu'il va méthodiquement reconstituer pour la métamorphoser en Madeleine, la première femme, pur fantasme d'Hitchcock lui-même, imaginée par le réalisateur pour piéger amoureusement Scottie, qui va à son tour recréer de toutes pièces le rêve en effaçant l'identité de Judy. Qu'est-ce qu'un style vestimentaire sinon l'identité même d'un être, celle qu'il s'est choisie, pour jouer le rôle qu'il s'est imparti ? Le vrai vertige de *Vertigo* c'est cette suite de miroirs identitaires, de reflets de soi, cette duplication non pas d'une femme mais d'une image de femme à l'infini jusque dans sa propre mort, un meurtre commis pour et par la métamorphose exigée. Quand Scottie la « déshabille », comme disait Hitchcock, il lui arrache peu à peu tout ce qui la « fait », la « tient », ces vêtements devenus les costumes d'un être tel qu'il se représente sur la scène du monde, Judy ne devient pas pour autant Madeleine. Elle s'évanouit à elle-même, elle n'est plus rien. Dépouillée de son identité vestimentaire et de son identité tout court, de sa seconde peau, elle est niée jusque dans l'invisibilité avant d'être jetée à tout jamais dans le néant.

« Mais comment diable, demandai-je, pouvez-vous remuer une manche vide ?
— Une manche vide ?
— Oui, une manche vide.
— C'est vide ? »
« Mais, s'écria Huxter, tandis qu'il était ainsi penché, ce n'est pas un homme ! Ce sont des vêtements sans corps ! »
H.G. Wells, *L'Homme invisible*.

Elle avait consacré la deuxième partie de sa vie à n'atteindre qu'un seul but : l'invisibilité. Durant le demi-siècle où elle se tient hors des studios, Garbo accumule les lunettes de soleil et les chapeaux – chapeaux de paille, toques noires, taupe, beiges, bérets, voilettes, foulards. Sur les photos des paparazzi, elle porte la main à son chapeau pour en rapprocher le bord au plus près de ses indéfectibles montures sombres. Garbo ou la seule étoile paradoxale, passée de la lumière à l'ombre, du statut de « divine » à celui de « recluse ». C'est pourtant grâce à un chapeau qu'elle avait accédé à la lumière artificielle : travaillant dans un magasin de vêtements à l'adolescence, elle est choisie par ses patrons pour jouer les mannequins le temps d'une réclame pour chapeaux ;

contents du résultat, ils lui font tourner un petit film publicitaire. Elle découvre qu'elle adore être filmée, et décide d'appeler un réalisateur suédois pour lui proposer ses services. Des années plus tard, les lumières des studios définitivement éteintes, et pendant plus de quatre décennies après avoir tourné son dernier film, les chapeaux allaient lui servir à se cacher, à camoufler son visage, ce lieu de l'identité qu'elle ne veut plus partager qu'avec qui lui plaît. Lunettes noires et chapeaux vont lui permettre de se faufiler parmi les foules à Manhattan sans être vue – c'est-à-dire, sans être, plus jamais, Garbo. La liberté de Garbo va consister en une lente destructuration, déconstruction, décomposition, dépossession du mythe d'elle-même jusque dans l'invisibilité. La star se jette elle-même dans le néant pour redevenir, enfin, une femme – au risque, aussi, de tuer la femme au passage. Les habitants de New York guettaient Garbo dans les rues. Ils avaient tous des anecdotes à raconter à son sujet. Les uns l'avaient croisée au petit matin faisant du lèche-vitrine sur Madison Avenue, les autres dans une galerie d'art. Tous en parlaient comme d'un fantôme qu'ils auraient eu la chance d'apercevoir. Une apparition. L'apparition d'une femme morte depuis longtemps déjà puisque morte pour le cinéma – où elle était morte à répétition, comme si les films n'avaient eu pour seul enjeu que de lui présenter cette image d'elle-même qu'elle désirait, la seule qu'elle supporterait. Une image morte.

Pourrait-on voir l'homme invisible s'il ne portait pas de vêtements ? Pourrait-on « voir » quiconque s'il ne portait pas de vêtements ? Serais-je « visible » sans mes vêtements ? Et si le regard des autres ne me percevait pas, existerais-je encore ?

H.G. Wells était le cinquième enfant. Le petit, celui qui passe après les « grands », celui qui souffre de ne pas être « vu ». Le vêtement, le style, est ce qui nous fait apparaître à l'autre. L'homme invisible, tant qu'il porte des vêtements, ne l'est pas vraiment : ses vêtements le montrent tout en le trahissant. Ils trahissent une classe sociale que son invisibilité aurait pu laisser ignorer. Mais seulement invisible, il aurait été, pour les autres, comme mort.

Alfred Hitchcock voulait Vera Miles dans *Vertigo*, pas Kim Novak. Mais Vera Miles tombe enceinte et Novak la remplace. Le film, déjà, se fonde sur une histoire de double : Novak en doublure d'une autre femme et Hitchcock qui tentera en vain d'adapter le désir qu'il a de Miles sur le corps de Novak en lui imposant une apparence qui n'est pas la sienne, mais qui suscite, chez lui, une réminiscence de désir. « Ce que je voyais en Hitch, c'était la suppression des sentiments naturels, instinctifs, telle que l'ère victorienne l'avait imposée, et cela menait à l'émergence de toutes sortes de fantasmes – voire de fétiches, et avec Hitch, il s'agissait de souliers à hauts talons noirs et de blondes », se souvient Connie Philips, qui eut à superviser le script de *Vertigo*. Les chaussures noires furent le premier sujet de mésentente entre le réalisateur et l'actrice. Edith Head, la costumière star de la Paramount, en était à s'arracher les cheveux : Novak ne voulait pas de souliers noirs car ils accentuaient la rondeur de ses mollets ; or Hitchcock avait pensé et planifié toutes les tenues de son héroïne depuis des mois, et il tenait à ces escarpins-là. Plus tard, ce fut au tour du tailleur gris que porte Madeleine : « Je porterai n'importe quoi, expliqua Novak à Edith Head, à condition que ce ne soit pas un tailleur – et n'importe quelle couleur, à condition que ce ne soit pas du gris. » Mais Hitchcock avait justement prévu du gris clair pour que Madeleine semble émerger du brouillard de San Francisco, accentuant ainsi son aspect fantomatique. « Alors si cela doit être un tailleur, répondit Novak, j'aime les tailleurs violets, ou blancs. » Head appela Hitchcock à l'aide : « Je me fiche de ce qu'elle porte, répondit-il, du moment que c'est un tailleur gris. »

De tous ses films, *Vertigo* est celui où le vêtement est le plus révélateur du rapport qu'Hitchcock entretenait avec le costume, parce que *Vertigo* reste son film le plus fétichiste, dont le sujet même est le fétichisme amoureux. Et pour Head, ce fut l'un de ses plus grands défis, puisqu'il s'agissait, par le vêtement, de créer un contraste marquant entre les deux femmes que joue Novak : la femme qui n'existe pas, Madeleine, construction fantasmagorique pour hommes romantiques, toute d'élégance sobre vêtue ; et Judy, la femme réelle, en chair et en os, accessible, donc « vulgaire ». Scottie l'emmène chez les couturiers pour la transformer en Madeleine, et pouvoir enfin jouir de son corps, confondant habillage et déshabillage. Ce qui en disait long sur l'ambivalence d'Hitchcock face au vêtement et aux femmes. La tenue féminine idéale pour jouir, selon lui – ce qui aurait rimé avec nudité totale pour tout homme ordinaire, soit le comble de l'érotisme –, résidait paradoxalement en une élégance presque sévère, un tailleur aussi hermétique et strict qu'une armure, ou une ceinture de chasteté. La femme sexuellement excitante pour Hitchcock est cette femme rendue inaccessible par le vêtement : un songe qui s'évanouit dès que Scottie tente de l'étreindre. « La volonté qui anime cet homme, c'est de recréer une image sexuelle impossible, pour dire les choses simplement, cet homme veut coucher avec une morte, c'est de la pure nécrophilie », disait Hitchcock à Truffaut.

La collaboration du réalisateur avec Edith Head est l'une des plus fructueuses de l'histoire du cinéma. Ils feront onze films ensemble entre 1946 et 1976, dont *Fenêtre sur cour* (1954), *La Main au collet* (1955), *Vertigo* (1958) et *Les Oiseaux* (1963) – films iconiques en matière de style car ils participent à la création de la « blonde hitchcockienne ». Une femme ultrachic, impeccable, au chignon laqué, marchant à petits pas sanglée dans un tailleur souvent sombre, et faisant sien le mantra *Less is more*. Edith Head se souvient combien Hitchcock s'y connaissait en vêtements féminins, et à quel point chaque détail comptait : « A moins qu'il n'y ait une raison narrative pour utiliser une couleur, nous gardons les couleurs neutres, parce que Hitchcock pense qu'elles peuvent distraire le spectateur d'une scène d'action importante. En fait, il se sert de la couleur presque comme un artiste, privilégiant les verts doux et les couleurs froides pour dire certaines humeurs. » C'est une robe du soir bleu pâle, longue, en mousseline aérienne que porte Grace Kelly dans la scène où Cary Grant la voit pour la première fois dans *La Main au collet* : symbole d'une apparition, d'une déesse, d'une femme qui n'existe pas ? Kim Novak finira par incarner une parfaite Madeleine, désincarnée en teintes pâles. « Mon Dieu, cela va rendre mon jeu difficile. Il est tellement serré », remarquait l'actrice en découvrant l'étroitesse de son tailleur. Le corps entravé par son costume, sa sexualité réprimée par son austérité, l'héroïne hitchcockienne s'impose peut-être comme le miroir du réalisateur lui-même, prisonnier de son propre corps : « Sa bataille permanente avec une obésité morbide l'isolait, rendant toute intimité impossible ; en effet, Hitch créa la plus grande prison physique pour lui-même », écrit Donald Spoto, le biographe d'Hitchcock. Un homme aussi sexuellement inaccessible dans la vie que ses blondes héroïnes l'étaient à l'écran.

Alors valait-il mieux les tuer plutôt que d'éteindre son propre désir, impossible ? Ainsi mortes, elles ne représentaient plus aucun danger, ne renvoyaient plus à l'homme le reflet de sa propre impuissance. Madeleine représente une femme qui n'existe pas – plus qu'un mensonge, elle est une illusion d'optique, comme l'hologramme d'une femme qui serait *déjà* morte avant que le film ne commence, déjà tuée hors cadre, ayant ainsi accompli l'ultime métamorphose. Dans *Laura* d'Otto Preminger, Gene Tierney serait elle aussi déjà morte avant le début du film. Sa mort, c'est la scène à laquelle nous n'assisterons jamais, ou alors à travers son double, à la fin, scène qui se répète pour mieux empêcher, cette fois, que sa finalité n'advienne. Ce qui scinde le film en deux en dédoublant la femme, c'est le portrait de Laura dont le détective, Dana Andrews, tombe peu à peu amoureux. Un artifice, une femme sublimée, immobile dans un cadre : la femme idéale serait-elle toujours une femme morte ? D'un côté du tableau, une première partie avec Laura absente, seulement restituée par le discours des autres, et la narration qu'en fait le dandy épris d'elle, Clifton Webb. Dans la deuxième partie, Laura est présente, et son corps réincarné soudain à l'écran met en danger tous les corps masculins incapables de trouver leur place face à lui.

Tourné en 1942, alors que l'Amérique souffre de privations imposées par la guerre, Otto Preminger décida de couper deux scènes au montage, dont le luxe aurait pu heurter les spectateurs. Heureusement. Si elles étaient restées dans la version finale, il aurait été facile de deviner qui a *tué* Laura. Ces scènes montrent un Clifton Webb en Pygmalion de la jeune femme : il lui apprend à parler, à marcher, mais surtout, il l'emmène faire le tour des couturiers pour la rhabiller. Il va la déparer de sa peau de jeune fille ordinaire pour la parer de la peau de l'idéal féminin dont il rêve – femme avec qui il désire s'afficher dans les soirées mondaines ; femme qui va susciter son désir et qu'il va chercher à posséder physiquement ; femme qui va susciter le désir des autres hommes, qui se répercute sur lui par procuration ; ou femme qu'il souhaiterait être, lui-même, s'il pouvait être une femme ?

Laura ne l'aime pas. Elle préfère les hommes plus « musclés » (selon les termes, méprisants, jaloux, de Webb). Lentement, c'est tout le contraire qui advient : le corps de Laura lui renvoie l'image de son impossibilité à être « un homme ». Ne pouvant la posséder, voyant sa créature lui échapper pour s'abaisser dans les bras d'hommes qu'il juge « inférieurs », il décide de la supprimer. Il s'arme, et se présente un soir chez elle. Mais ce n'est pas Laura qui ouvre la porte, c'est une autre femme. Il y a bien une femme qui meurt avant même que le film ne s'ouvre – un mannequin, maîtresse du futur époux de Laura, que celui-ci a invitée dans l'appartement de la jeune femme pendant son absence, et que Webb a confondu avec Laura. Il la confond comme le spectateur confondrait une doublure dans un film. Il la confond parce qu'elle porte le négligé de Laura, dont elle s'est vêtue pour aller à la porte. Il n'a pas fait attention à son visage. Au fond, il se fiche bien de son visage. Il n'a prêté attention qu'aux vêtements : le peignoir de Laura, c'est Laura. La femme, à l'intérieur du vêtement, est invisible. Comme déjà morte. Ou n'a jamais eu tellement d'existence en tant que telle. Pure fantasmagorie sans visage d'un homme qui voulait la dévorer, l'absorber, pour mieux devenir elle. Et porter ses vêtements ?

Garbo avait elle aussi une doublure, une autre femme qui était morte, d'une certaine manière, à sa place. C'est ainsi que la star, qu'on surnommait « Le Visage », avait vécu le suicide de son sosie, comme si elle s'était vue elle-même mourir, comme si elle avait vu son « autre visage », ce deuxième visage porté par une autre, frappé par la mort à la place du sien. Le 10 mai 1934, alors qu'elle vient d'achever son idylle avec Rouben Mamoulian, Garbo découvre la nouvelle dans l'*Examiner* de Los Angeles : « Le "sosie" de Greta Garbo se donne la mort. Elle laisse une lettre pour dire son désespoir de ne pas être une star. » Sigrun Solvason était rentrée chez elle à Hollywood, avait avalé du poison, et s'était laissée mourir sous un miroir. La pièce dans laquelle on avait découvert son corps était tapissée de photos d'elle et de photos de Garbo. Son deuxième visage mort, son visage de l'ombre suicidé, il ne lui restait plus que « Le Visage », celui de l'exposition, le masque de cinéma. « Soyez un masque », lui avait demandé Rouben Mamoulian pour le dernier plan de *La Reine Christine*. Et c'est ce qu'elle était devenue à la perfection, un masque. Et elle l'avait quitté peu après qu'il ait prononcé ce mot qui la terrifiait plus que les autres.

Elle l'appelait Scottie, en référence au James Stewart de *Vertigo*, parce qu'il voulait sans cesse la changer. Elle n'était jamais assez proche du modèle qu'il avait rêvé, recherché, et qu'il projetait sur elle, qu'il essayait désespérément de reconstituer en elle. J. venait de la quitter avant de me rencontrer, et elle ne voudrait plus jamais le revoir. Elle avait dû, elle aussi, comme toutes les femmes qui l'avaient aimé, comme moi-même lorsque je le rejoignais à New York, se sentir insuffisante. Au moment où, des années après notre premier rendez-vous, nous décidons de nous retrouver à Los Angeles où il vit, il travaille à un remake de *Laura*. Obsédé par les femmes mortes. Obsédé par les cas de flics qui, souvent, tombent amoureux de la femme sur le meurtre de laquelle ils enquêtent. Avant de nous retrouver, il m'écrit : « Ne porte pas tes vêtements noirs, ni de vernis à ongles, et pas de talons hauts. Et tout se passera bien entre nous. » Six ans plus tôt, il avait insisté pour m'emmener chez un tailleur de Savile

Row m'offrir un tailleur sur mesure : bleu marine avec de fines rayures blanches. A Los Angeles, il me confie qu'il aime les tailleurs que portait sa mère, l'austérité de ces uniformes bleu marine que cette infirmière de l'armée revêtait au quotidien. D'ailleurs, il m'avoue être de plus en plus obsédé par l'imagerie des femmes mortes. Il vient de commander, à un ami peintre, le portrait de sa mère morte étranglée alors qu'il avait dix ans. Il le placera au-dessus de sa cheminée. Il regardera le portrait pendant de longues heures comme Dana Andrews celui de Laura. Perdu dans sa rêverie, il ne verra plus les minutes passer, ni les heures, ni les jours, ni les années. Il ne sortira plus, envoûté par ce qu'il verra : sa mère recommencer à respirer, à lui parler, à lui sourire, à caresser sa tête d'enfant de soixante-cinq ans, de soixante-quinze ans, de quatre-vingt-quinze ans, perdu dans ses hallucinations, perdu dans les étendues inatteignables du passé, perdu pour les femmes vivantes.

Je ne le reverrai jamais.

Garbo s'était servi du cinéma comme d'un miroir pour se dédoubler. Et pourtant, personne, dans un premier temps, n'y fit vraiment attention. Garbo n'était pas vide, comme on l'a prétendu, elle était double. Féminine et masculine, bisexuelle, décontractée et glamour, taciturne et hilarante, obsédée par la macrobiotique mais fumant deux paquets de cigarettes par jour, sportive mais portée sur l'alcool. Agent double dans *The Mysterious Lady* et dans *Mata Hari*, garçon et fille dans *La Reine Christine*, émancipée et mère dans *The Single Standard*, pute et honnête dans presque tous ses films. Elle adorait exhiber son visage et son corps au monde entier sur grand écran et photographies, puis se cacher et ne voir personne. Quand George Cukor décide de la mettre en scène dans *La Femme aux deux visages*, sait-il qu'il va capturer cette dualité et l'exhiber crûment, directement, au public américain, au risque de tuer l'actrice pour toujours ? Ni lui ni Garbo ne devinent alors qu'ils sont en train d'exploser sa carrière de l'intérieur. Garbo interprète une femme sportive et frugale (ce qu'elle était vraiment dans la vie) qui, pour reconquérir son mari, jeune mondain new-yorkais, se fait passer pour sa sœur jumelle, une call-girl de luxe, gaie, frivole et immorale, parée de robes de luxe. Est-ce en révélant sa face antiglamour, très *girl next door*, que Cukor coula la carrière de Garbo ? ou en parodiant à l'extrême les rôles d'élégante courtisane qu'elle avait si souvent joués ? ou en montrant au grand jour et dans toute sa nudité le secret de Garbo : une femme aux deux visages, qui avait besoin de l'ombre pour faire coïncider, enfin, les deux masques, les deux identités, ses deux garde-robes, celle qu'elle portait et celle qu'elle rêvait de porter ? *La Femme aux deux visages* sera considéré comme un échec. Garbo ne reviendra plus jamais au cinéma. Mais elle continuera à se dupliquer dans sa propre vie, à travers ses deux garde-robes, celle pour tous les jours, et celle qu'elle cachait dans ses vastes armoires. Peut-être avait-elle toujours su qu'il n'y a qu'à l'ombre des caméras, à l'ombre du regard scrutateur des médias et des foules, anonyme parmi les passants, tapie dans son appartement feutré, qu'elle pourrait enfin être elle-même, assumer ce secret que la société ne peut tolérer : une dualité, une multiplicité contradictoire, qu'elle avait exprimée en multipliant les rôles jusqu'au jour où elle s'était fait attraper.

Ou George Cukor s'était-il servi, comme tant d'hommes avant lui, d'un corps de femme pour se projeter tel qu'il était vraiment ? Menant une double vie, cachant son homosexualité tout en la révélant, secret de polichinelle comme Hollywood en avait tant. Mais c'est en exposant à l'écran la dualité de Garbo qu'il en brisa l'intégrité. Il y eut, après 1941, d'autres projets de films : une *Duchesse de Langeais* en 1949, un rôle, plus tard, dans l'adaptation que Luchino Visconti espérait réaliser de la *Recherche du temps perdu*.

Mais les projets échouaient les uns après les autres, avortant à plus ou moins long terme, comme frappés d'une étrange malédiction. Comme si le cinéma n'avait plus désiré les contradictions de la femme, comme si la femme avait sabordé toutes ses chances de revenir au grand écran pour mieux jouir d'elle-même à l'ombre. Elle en avait assez de la lumière parce qu'elle méprisait les masques qu'on l'y contraignait, ou qu'elle s'imposait, de porter. Car c'était toujours la même chose : en plein jour, pour mieux camoufler un secret inavouable, mieux valait avancer masqué, s'habiller allait alors relever de l'art de se travestir en une autre que soi pour ne pas révéler sa véritable personnalité. L'habit ne serait jamais plus un simple vêtement pour ceux qui avaient un secret à cacher, mais un costume. Qu'il faille se déguiser pour couvrir ce vrai moi honteux, pour vivre enfin dans la peau de cet autre que l'on avait toujours désiré devenir, par peur que le monde entier ne voit ce que nous étions vraiment :

un enfant mal aimé, abandonné, trahi par la suite à répétition. Garbo, elle, accumulait les robes comme autant de petits mensonges sur son identité : garçon dégingandé qui aurait été jusqu'à utiliser le cinéma pour donner au monde entier l'illusion qu'elle était réductible à une identité féminine – une femme « normale ». Et puis un jour, ça n'avait plus marché. Alors mieux valait se condamner à l'invisibilité.

« Pourtant Garbo adorait la couleur, particulièrement le rose. Mais elle le réservait à la décoration de son appartement. Pour sortir, elle préférait les teintes neutres, parce qu'elle ne voulait pas attirer l'attention sur elle. Elle avait acheté un manteau rouge vif qu'elle ne mit qu'une fois. Le rouge attirait le regard des gens sur elle et très vite, ils la reconnaissaient et venaient l'accoster. Elle ne porta plus jamais ce manteau. »
(Derek Reisfield)

Il était là. Fleur étrange, comme déplacée, incongrue au milieu des robes du soir, des robes de jour, d'été, d'hiver, des tailleurs, des ensembles pantalons, des camaïeux de bleus, de gris, de bruns.
Le manteau rouge. « Pink Ialongo coat. 1956 », lot 492. Col monacal, trois gros boutons, ample, une laine bouclée rouge cerise. En 1956, Garbo était donc passée devant une boutique, dans une rue de Manhattan, elle avait remarqué ce manteau en vitrine, était entrée l'essayer, la vendeuse avait failli défaillir en lui tendant le manteau d'une main tremblante. Elle était repartie avec. Ce manteau rouge qui semblait ne pas « être son genre »

et encore moins « être elle ». Elle allait le revêtir parce qu'il correspondait peut-être à son désir le plus profond : rouge sombre, rouge sang, l'envie d'être, enfin, mordue, et de laisser ruisseler de l'icône des flots de sang pour mieux prouver qu'elle est humaine. Et puis il allait la trahir, comme tous ses amants, comme toutes ses maîtresses, comme tous ceux qui l'avaient aimée l'avaient trahie en vendant ses secrets à la presse, en exhibant son intimité à la lumière la plus crue des médias. Elle allait le porter et il allait la trahir en la rendant, brutalement, visible.

C'est allongée nue sur une peau d'ours noir que Musidora recevait les surréalistes, qui la vénéraient depuis qu'elle était apparue dans *Les Vampires* de Louis Feuillade. Les cheveux noirs, le teint pâle, les grands yeux de jais ourlés de khôl, et le corps entièrement enveloppé d'une seconde peau de soie qui en révélait les formes. Irma Vep, anagramme de vampire, première « vamp » de l'histoire du cinéma : Musidora le devint en portant ce costume troublant qui cachait son corps tout en exhibant ses courbes. Pour faire le mal, et exciter au passage la sexualité. Le vêtement comme arme ultime pour attaquer l'autre, lui arracher ce qu'il a de plus cher, dépouiller les femmes de leurs bijoux, de ce qui les embellit et se fait attribut de leur pouvoir – Musidora, première femme à arborer un léotard noir, le voile d'invisibilité qui permet de voler, tuer, s'enfuir, sans être vu. S'habiller, pour s'effacer, d'un non-vêtement par excellence, qui épouse au plus près la peau jusqu'à s'y confondre, n'affiche aucune marque, gomme les différences sociales, et dès lors affranchit. Libre de faire le mal – la nuit. Ou de le réparer – la nuit encore. Vêtement sombre sur nuit noire, pour devenir une ombre et se confondre avec les ténèbres, s'absorber dans le décor, être engloutie par le néant, mourir au regard d'autrui pour vivre *vraiment* sa vie – contre l'autre, pour l'autre, peu importe, avant tout pour soi, et davantage, par soi seule. Musidora inaugure une lignée d'amazones sanglées dans le noir de la nuit, sexualité aussi réprimée qu'exhibée : Catwoman, Honor Blackman et Diana Rigg dans *The Avengers*, Fantômette. Secrétaire, scientifique, ou petite fille le jour. Justicières masquées en léotard de cuir ou de latex noirs, elles endossent en même temps que le costume une autre identité, qui efface leur activité diurne, preuve que nul être n'est réductible à sa place sur l'échiquier social. La nuit, elles se battent, frappent, tuent, volent ou vengent, invincibles, échappent à toute caste, toute ethnie, toute classe, hors de la loi, de toute règle autre que la leur, hors aussi de leur place de femme que la société leur assigne, hors des conventions de genre, à égalité, enfin, avec les hommes, féministes avant l'heure. Elles sont seules, mais elles sont libres.

Est-ce parce qu'en effaçant tout signe d'appartenance il effaçait aussi toute identité, ne révélant que des formes archétypales – seins, taille, hanches –, le léotard de latex noir devient aussi la panoplie du sadomasochisme. Un concept d'être humain, mais plus rien d'un être humain. L'enjeu même de l'humiliation : abaisser l'autre au rang d'objet, le déshumaniser, le réduire à une pure machine érotique, jouet sexuel aux mains du maître, nier sa peau en la revêtant de plastique – le matériau contemporain de la poupée. Aussi interchangeable qu'une poupée, donc. Peut-être, mais un jouet fétichisé. Le jouet souverain. Puisque le maître, investi de la mise en scène de sa puissance fictive, ne pourrait plus jouir sans lui. Et ne pouvant plus jouir de l'autre, il ne pourrait plus non plus jouir de lui-même dans son « rôle » : être un maître, c'est forcément dominer cet autre. Sans lui, le maître s'évanouit.

« Le sac Chanel, c'est ce qui donne à une femme l'impression d'accéder à une vie que très peu de gens peuvent avoir. »
(Karl Lagerfeld)

Pour nous donner l'illusion de contrôler nos vies, de dominer, il nous faudrait nous procurer ce jouet fétiche. Nos corps se sentiraient bien seuls, bien vulnérables, bien incomplets sans cette prothèse.

La mode allait nous offrir la possibilité d'accéder à toute une gamme de jouets fétichisés, et son succès tiendrait dans sa capacité à engendrer ces prothèses à échelle industrielle.

« Worth innove dans le processus de commercialisation et de communication : avant lui, le couturier communique à travers des magazines de mode ou en envoyant par courrier des poupées habillées. Worth invente le mannequin vivant qu'il appelle le sosie, et il utilise pour cela sa propre femme Marie Vernet Worth. »
(Wikipédia)

Charles Frederick Worth est l'inventeur de la haute couture. Déjà, il comprend que la mode repose sur un processus d'identification des femmes entre elles : d'abord identification à une femme fausse, une femme inerte, le jouet souverain, le jouet de l'homme. Puis une femme animée, sans autre visage que le reflet de celle qui la regarde. Les poupées habillées laissent place à une femme-sosie de toutes les femmes. Une femme à laquelle les autres femmes vont s'identifier et qu'elles voudront copier : avoir la même robe. Les premières clientes de la haute couture furent les aristocrates et les comédiennes : les unes envisageaient leur vie comme une vaste scène sociale où le costume allait leur permettre de jouer leurs rôles très codifiés ; les autres se faisaient, par la magie du jeu, le « sosie » des femmes qu'elles interprétaient sur scène. Sarah Bernhardt se servait de sa vaste garde-robe couture dans la vie et sur la scène, la vie devenant un théâtre et le théâtre recréant l'illusion de la vie. Dès les débuts de la couture, le vêtement ne se départit pas du double sens de « costume » – costume permettant de jouer le rôle que la société nous enjoint de jouer, ou de nous transformer pour incarner celui que l'on s'est imparti sur la scène de l'existence. Il est, par essence, cet artifice qui permet d'écrire, voire de réécrire sa vie, soit en épousant le rôle que nous impose la société, soit pour contredire ses origines, tordre la narration familiale, sociétale, cette place toute désignée dont nous ne voulons pas.

Le costume, au cinéma, devient un signe créé pour générer du sens dans un entrelacs d'autres signes. Aux tout débuts de Hollywood, les actrices portaient leurs propres robes à l'écran – dès lors, seules celles nanties d'une garde-robe avantageuse étaient engagées. Les producteurs hollywoodiens avaient vite compris l'impact du vêtement à l'image. Peut-être parce qu'ils venaient tous de la mode : Louis B. Mayer de la chaussure, Samuel Goldwyn du gant, Adolph Zukor, le fondateur de la Paramount, était fourreur. Chacun créera, dans ses studios, un nouveau département dédié au costume, et y installera un couturier à sa tête. Il y aura d'abord Howard Greer, puis Travis Banton à la Paramount qui, aux côtés de Josef von Sternberg, participe à la construction du mythe Dietrich, comme Adrian, à la MGM, avec Clarence Brown et Rouben Mamoulian, invente l'icône Garbo. Parce que « la star est avant tout une actrice ou un acteur qui devient sujet du mythe de l'amour et cela jusqu'à susciter un véritable culte » (Edgar Morin, *Les Stars*), elle suscite un mimétisme à échelle planétaire. Les femmes voudront la voir, puis la vénérer, enfin la copier – revêtir sa peau pour se donner l'illusion d'être cette femme aimée, et davantage, aimée par tous. Le premier metteur en scène à comprendre que le vêtement est ce qui rend, au-delà du corps de l'actrice, le film entier désirable, c'est Cecil B. DeMille, qui exigeait que les garde-robes des actrices de ses films soient plus somptueuses, plus luxueuses, que tout ce que les spectateurs pouvaient trouver dans le commerce : des vêtements *bigger than life*.

Howard Greer dira que « la surexagération, telle qu'appliquée aux techniques du jeu et aux traitements de l'histoire, était essentielle. Si dans la vraie vie une femme portait une traîne d'un mètre de long, son prototype dans un film en portait une de trois mètres... La très élégante Chanel fut un échec à l'écran ». Parce que

Gloria Swanson, qu'elle habilla dans *Ce soir ou jamais* en 1931, aurait peut-être été chic dans la vie mais avait l'air fade à l'écran. Le vêtement, à Hollywood, devait se faire l'écrin d'un idéal féminin pour créer de la mythologie et faire entrer les foules dans les salles obscures comme elles se rendaient jadis à l'église.

Et puis les stars voulurent quitter l'ombre, se montrer à visage découvert dans la lumière crue, impardonnable, du jour, celle où les femmes ordinaires évoluaient lorsqu'elles quittaient les salles obscures – pour se montrer mères, ou engagées dans la société. Dans les années soixante-dix, Jane Fonda descend en jean dans la rue pour manifester contre la guerre du Vietnam. Alors, les stars moururent. Tout ce qui restait de leur aura, ce furent les robes seules qui en héritèrent, et tout le faste de ces robes, délaissé par le Nouvel Hollywood, se retrouva seulement circonscrit au champ de la mode, ultime incarnation du glamour à présent que le cinéma l'avait déserté. Alors le basculement s'opéra naturellement, et pour faire rêver, pour se promouvoir, la mode se mit à utiliser les codes, le vocabulaire du cinéma : ses actrices, ses acteurs. Les marques fabriquèrent leurs campagnes et leurs spots publicitaires comme des films à part entière, engageant des réalisateurs connus, de Sofia Coppola à Wes Anderson, et leurs designers se firent eux-mêmes photographes ou cinéastes (Karl Lagerfeld, Hedi Slimane, etc.), poussant la parodie jusqu'à organiser des projections pour journalistes, diffusions dans des salles de cinéma, diffusion du *making of* du film, interviews des actrices représentant la marque, générant ainsi leur propre mythologie, calquée sur ce que fut et fit naguère Hollywood. La mode produisit même ses propres icônes, qui empruntaient aux codes des déesses de l'âge d'or hollywoodien (lunettes noires, mystère, refus des entretiens, vêtements luxueux, vie privée gardée privée, traquées par les paparazzi). Kate Moss portait nonchalamment un sac Chanel, toutes les filles voulaient un sac Chanel.

Une cité HLM de banlieue. Une petite fille a la tête posée sur les genoux de sa mère qui a pris l'habitude de lui raconter sa jeunesse, ce temps d'avant, merveilleux, avant qu'elle ne devienne mère. Rimini, 1960 : elle portait des jupes corolles de toutes les couleurs, encore gonflées par des superpositions de jupons, des ballerines, des mules à très hauts talons de bois, des escarpins pointus à talons fins, blancs, noirs, bruns. La petite fille ne voit plus rien des tours en béton qui les entourent, et elle se met à rêver. La vraie vie, c'était ça. Une vie vécue ailleurs, dans un autre temps, avec d'autres habits, parce que les habits racontent le bonheur passé de sa mère. Un jour, sa mère lui parle du sac Chanel : « Rien de plus chic qu'un sac Chanel. Une femme élégante a toujours un sac Chanel. » A la mort de sa mère, elle retrouve son sac Chanel : c'est un faux, que son père lui a offert avant leur mariage. Elle se promet qu'un jour, un homme lui en offrira un à elle aussi, mais que le sien sera vrai, et que leur histoire d'amour durera toujours. Et puis ce jour est arrivé, elle aura son sac Chanel, mais comme tout vœu exaucé il comprend une part d'ironie, de tristesse. J. vient d'annuler leur voyage à San Francisco où il avait réservé un bungalow sur la baie où Hitchcock a tourné *Les Oiseaux*. Il fait une dépression.

Pour lui rembourser son billet d'avion, il lui envoie un chèque. Alors elle décide de tromper la tristesse par un simulacre de joie, encaisse le chèque, entre chez Chanel, et en ressort avec le petit sac noir qu'elle s'était promis de posséder depuis l'enfance. Elle exauce le vœu de sa mère. La mère a gagné : sa petite fille est devenue une femme chic qui comme toute femme chic a un sac Chanel — mais au prix d'un homme. Et elle, elle comprendra plus tard qu'elle s'est offert l'illusion d'avoir réparé la vie difficile de sa mère. Elle a maintenant un sac Chanel et se prend à halluciner. Elle croit qu'elle est passée de l'autre côté du miroir, chez les heureux du monde.

La mère d'H.G. Wells était domestique. Quand elle se sépare de son mari, elle entre au service d'une grande maison et y vivra jusqu'à sa mort. C'est là que le jeune Wells, échouant dans tout ce qu'il entreprend — études, emplois, etc. — vit par moments près de sa mère — celle qui sert et qu'on ne voit pas, celle qui s'efface, discrète, silencieuse, apporte les plats de ses maîtres sans bruit, faisant oublier sa présence, comme si les plats étaient parvenus jusqu'à eux par magie. Wells appartient à la classe des invisibles et son roman, plus tard, racontera la chute d'un homme dans l'invisibilité — la déchéance sociale, la traque que lui font endurer les « normaux », les nantis. L'invisibilité sera un temps la solution, mais aussi cette fatalité du roman familial à laquelle on n'échappe pas, sauf d'une seule façon : la mort. La seule métamorphose possible, pour passer de l'invisibilité à la visibilité, se fera au prix de son sang.

« Mon projet, c'est avant tout de filmer la garde-robe d'une femme morte. » C'est ainsi que je présente mon film sur Garbo à la production, et je détourne aussitôt les yeux. Ils viennent de s'emplir de larmes. 3 juin 1992, je déménage la garde-robe de ma mère, morte le 28 mai d'un arrêt cardiaque. Je ne trouve dans ses placards que quatre robes, trois gilets, deux manteaux, trois paires de chaussures.

Je trouve dans les placards de ma mère des vêtements que je ne lui ai jamais vu porter. Ils ne vont ni avec son style habituel, ni avec la vie qu'elle mène : les allers-retours entre l'immeuble en béton où nous vivons et l'atelier de confection où elle coud en série des robes à fleurs de couleurs vives taille 46. Une minijupe en daim brun, un maximanteau en daim brun, de hautes cuissardes en daim brun, et la pièce qui m'émerveille : une capeline en fourrure chocolat, qui devient blanche quand on la retourne. J'ai six ans, je ne connais rien à la mode des adultes, mais je le sens : c'est à la mode, et au-delà, c'est la garde-robe idéale de la femme affranchie, glamour, sexuelle – le genre d'accoutrement que porte Jane Fonda dans *Klute*, film tourné au même moment, que je verrai des décennies plus tard. Je range très vite chacun des vêtements dans les boîtes où je les ai trouvés, comme les gamines des contes de fées qui ont interdiction de pénétrer dans une pièce du château, et qui, après avoir transgressé, tentent d'effacer toute trace de leur infraction. Je sens confusément que ces vêtements sont porteurs d'un trouble, d'un secret. Je n'ai pas encore la maturité ni le vocabulaire pour connaître le mot « désir » ni toutes les images qui l'accompagnent. Le soir, j'interroge ma mère. « C'est ton père qui me les a offerts, c'est ce qu'il veut me voir porter. Mais je n'aime pas ces vêtements ; ils ne me vont pas, ils ne sont pas pour moi. » Dans les boîtes en carton gît le désir d'un homme. Ma mère refuse de s'y soumettre. Ce désir ne lui va pas, comme s'il ne s'adressait pas à elle, il veut la changer en une autre qu'elle n'est pas, la désigne d'emblée comme inadéquate et prône son élimination au profit d'une autre – la femme idéale. Un an plus tard, mon père nous quitte pour une autre femme.

Elle a encore, gravé dans sa mémoire, le faux marbre des escaliers noirs mouchetés de taches roses et blanches et parfois même, or. A dix ans, elle découvre les superhéros. Ses cousins, plus âgés, ont mission de s'occuper d'elle les mercredis après-midi pendant que sa mère travaille, mais s'en débarrassent en lui donnant leurs exemplaires de *Strange* et de *Marvel*. Elle passe ses après-midi assise en haut des marches à dévorer ces aventures extraordinaires d'êtres ordinaires dans la vie quotidienne, et doués de pouvoirs magiques la nuit tombée. Leur léotard et leur cape leur permettent de décoller de toutes les platitudes. Habillés normalement, donc banalement, le jour, ils revêtent la nuit la peau qui correspond à ce qu'ils sont au plus profond d'eux-mêmes, et qu'ils ne peuvent révéler le jour par peur d'effrayer les humains, et de les voir se retourner contre eux – ce qu'ont toujours fait les hommes quand l'un d'eux se montre trop différent. La dualité leur est une libération, mais aussi parfois une souffrance, toujours une nécessité, une fatalité. Leur dualité même est trop monstrueuse pour être révélée : humain le jour, animal la nuit. L'ennui le jour ; les limites, les entraves, la norme, le jour ; la vraie vie la nuit. Pour mener leur double vie, ils vont se grimer, se costumer – personnages théâtraux, le visage dissimulé, leur véritable persona réduite au vêtement pour être enfin reconnue dans toute sa splendeur. Homme-araignée, femme-chat, femme-tonnerre, homme-éclair. Du grand-guignol, du carnaval, qui révèle davantage d'eux-mêmes que leur nudité. « Le premier devoir dans l'existence, c'est d'être aussi artificiel que possible. Ce qu'est le second, personne ne l'a encore découvert », écrit Oscar Wilde. L'artifice permet d'être soi, c'est ce qu'elle comprend confusément toute petite – à la seule condition de pratiquer à l'ombre, et d'avancer masqué.

Mais le masque que porte Edith Scob dans *Les Yeux sans visage* de Franju, n'est-ce pas encore un visage ? Non, c'est un signe, celui d'une monstruosité à dissimuler au prix de la vue d'autrui, pour ne pas l'effrayer, le dégoûter, le tuer par le pouvoir mortifère de sa seule apparition. Monstruosité physique devinée de Scob, qui hante les couloirs d'une grande maison les yeux égarés sous un masque impassible ; monstruosité intérieure de son père à l'apparence normale, au visage normal, mais qui hante les rues afin de kidnapper les jeunes filles dont il dépècera plus tard le visage pour le recoudre sur celui, absent, de sa fille. Parce qu'il ne peut plus la voir telle qu'elle est, sans visage, et que ne « pas pouvoir voir » quelqu'un, c'est pire que ne plus l'aimer : c'est le détester.

Son père était parti pour une autre femme et il ne l'avait plus revue. Ou alors en passant, juste quand il venait reprendre quelques affaires qu'il avait oubliées. Il ne la voyait pas – elle s'était, dès lors, sentie invisible. « Qu'attendez-vous d'un homme ? » lui demande, quinze ans plus tard, un analyste. « Qu'il me voie. » Quand son père meurt en 2011, ils ne se sont pas revus depuis vingt ans. Elle n'a plus voulu voir son père. Il n'a plus cherché à voir sa fille. Parfois, elle se demandait si, le croisant par hasard, elle le reconnaîtrait. Elle marchait dans les rues avec une angoisse, qu'il la croise, qu'il la reconnaisse, qu'il l'aborde et ne la laisse plus tranquille. Elle aurait aimé passer sa vie sous une cape d'invisibilité pour lui échapper à jamais.

Pour échapper au regard de son père – ou à son propre regard sur lui ? –, Peau d'âne revêt la peau d'un âne et plus encore, la peau sale et puante du plus « bête » des animaux pour repousser tous les désirs, et puis s'enfuit. Ce n'est qu'en secret, à l'ombre d'une étable, ou d'une grange, parmi les poules et les rats, qu'elle se sent à sa place et revêt ses robes de soleil, de lune et de temps, ses bijoux et son diadème, se permet enfin d'être celle qu'elle est profondément : sexuée, désirable, désirante. Mais sans personne d'autre que son miroir, cet objet sans sexe donc sans danger, pour pouvoir jouir de son corps – ou le faire jouir – contre son gré.

Il était arrivé à l'homme que j'aimais d'oublier ses lunettes sur les lieux où nous avions rendez-vous. Il partait le premier et laissait ses lunettes sur la table de nuit. Longtemps, je m'étais dit qu'il voulait me *revoir*. Ou même, que j'étais la seule qu'il voulait *vraiment* voir. Un jour, au restaurant, alors que nous quittions tous deux notre table, je m'aperçus qu'il avait oublié ses lunettes de vue dans son fauteuil et moi, mes lunettes de soleil. Je veux vous revoir. Ou je vous donne de quoi *mieux* me voir. Mais si vous me voyiez mieux, m'aimeriez-vous encore ? Si vous me voyiez *vraiment*, m'aimeriez-vous jamais ?

« Le problème, c'est que les hommes vont au lit avec Rita Hayworth mais se réveillent avec moi », se plaignait Rita Hayworth. Quand Garbo quitte, à la fin des années vingt, son premier grand amour, l'acteur John Gilbert, elle dira : « Il était amoureux de Garbo, pas de moi. » Mais si elle n'était pas Garbo, alors qui était-elle ?

Elle est celle qui était restée seule. Elle n'avait rien compris. Elle avait été aimée et serait toujours aimée pour Garbo – le masque, l'image idéale projetée sur grand écran et dans les rêves des hommes, car les êtres ne tombent jamais amoureux que d'un rêve. La vérité, l'authenticité, qui voulait la voir ? La vérité d'un être – un tas de petits secrets, de lâchetés et de rancunes, de petitesses, de frayeurs, et toujours, les pleurs d'un enfant qu'on abandonne dans la nuit. Est-ce qu'elle-même aurait pu supporter cela longtemps ? Elle n'avait pas compris que c'est toujours d'une image, d'un mirage dont on tombe amoureux. Quelle naïve elle avait été de croire qu'elle aurait pu être aimée pour elle-même, pour la vérité de son être quand la vérité n'est jamais aimable – quand la vérité est toujours mouvante, incernable, tellement complexe, se diffractant en tant de miroirs qu'on ne sait plus à quel reflet se vouer. La déception amoureuse advenait quand l'image que l'on avait idéalisée ne correspondait pas à l'une des vérités sans fard que l'on découvrait trop tôt – ou trop tard. Et d'ailleurs, correspondait-elle jamais ? N'avais-je pas moi-même éprouvé la sensation, angoissante, qu'un homme aimant n'attendait guère plus de moi qu'un comportement d'androïde ? La sensation diffuse que si je montrais trop directement émotions, tristesse, voire sentiments ou colère, ils se seraient éloignés. Ils voulaient le masque. Ils m'aimaient masquée. Et je leur en voulais pour cela, me reléguant dès lors non pas derrière ces masques qu'ils désiraient mais dans l'ombre, qui m'assurait l'invisibilité. Si le regard d'autrui ne pouvait supporter de me voir telle que j'étais – telle que j'étais parfois – alors je préférais encore m'en soustraire définitivement. Et je leur reprochais cela sans comprendre que moi aussi, je les avais préférés nimbés de rêve, et avais lentement commencé à me détourner d'eux au moindre signe de faiblesse, ou de médiocrité, dès que j'avais perçu sous leur masque charmant leurs pathétiques petits mensonges, leur goût du confort, leurs petites lâchetés, leur sens par trop développé du quotidien le plus réducteur, et puis finalement leur goût des masques.

Dans *L'Eve future* (1886), Villiers de l'Isle-Adam imagine la création d'une femme idéale, une « Andréide paradoxale », par un Prométhée des temps modernes, un ingénieur nommé Edison. Un soir, dans son manoir du New Jersey, vient le trouver un jeune Anglais, Lord Ewald. Il est tombé amoureux d'une actrice dont le physique est l'incarnation de son idéal, une statue qui se trouve au Louvre, la Vénus Victrix. Mais l'actrice est bête, et rusée, et prosaïque, bref, médiocre. Son être véritable s'oppose cruellement à son image, l'intériorité déçoit quand l'extérieur enchante. « L'Idéal vous a menti ? La "Vérité" vous a détruit le désir ? Une femme vous a glacé les sens ? Adieu donc à la prétendue Réalité, l'antique dupeuse ! Je vous offre, moi, de tenter l'ARTIFICIEL et ses incitations nouvelles !... » propose le savant au jeune homme qui s'apprête à se suicider. Sa déception amoureuse ne tient pas tant dans le fait de ne pas être aimé, que de découvrir que l'idéal de beauté, cette utopie de vie merveilleuse qu'il avait cru un instant incarné en une femme, n'est qu'un mensonge.

Edison lui propose alors le pacte suivant : lui offrir une compagne non humaine, qui aurait l'apparence idéale de Miss Alicia Clary. Mais Lord Ewald ne se résout pas à vivre dans l'illusion amoureuse avec une androïde. Alors Edison lui déclare que c'est pourtant toujours le cas chez les êtres qui s'aiment, que dans l'amour-passion, tout n'est que « vanité sur mensonge, illusion sur inconscience, maladie sur mirage ».

Seul l'artifice semblait aimable. Un jour, dans un magasin, j'avais essayé le même style de robe que portait une rivale. Ainsi vêtue, serais-je plus aimable ? L'homme que j'aimais m'aimerait-il davantage si je me parais des artifices de l'Autre ? Mais au moment d'acheter la robe, j'avais renoncé, la robe ne me plaisait pas, et puis je sentais confusément de quelle humiliation il en retournerait de me déguiser en une autre. J'avais tout de même hésité jusqu'au vertige de me métamorphoser, des pieds à la tête, en cette autre femme : comment se sentait-on dans la peau de la femme aimée ? J'aurais tant voulu capturer à mon avantage les attributs artificiels, les mensonges superficiels, les masques de l'autre, comme si l'autre était réductible à son apparence tant cet homme semblait n'aimer que cela, les femmes artificielles, figées – mortes. Je voulais acquérir sa peau pour prendre sa place dans le cœur et la vie de l'homme que j'aimais ; mais au-delà, je voulais sa peau parce que je la voulais morte – je voulais lui faire la peau, la tuer à coups de poignard, plonger mes mains dans son sang et commencer à la dépecer, comme le fait le taxidermiste de l'animal qu'on a abattu lors d'une chasse, avant de transformer sa tête en trophée.

« La robe est l'ombre portée du corps de l'Autre, de l'Autre-femme ; ombre incarnée ou transparente. Et si l'on veut penser *la mode* comme phénomène vivant, sans seulement y plaquer des concepts linguistiques ou psychanalytiques, on peut y voir d'abord un moment privilégié de transmission du féminin : la figure abstraite de l'Autre-femme s'y incarne à travers le modèle que fait vivre ou qu'agite la cohorte des mannequins (elles-mêmes modèles de La Femme mutique qui n'est là que pour montrer ce qu'on est appelé à lui prendre, à lui arracher lorsque les commerçants auront donné le signal de cette curée "sublimée"…). La mode est donc une mise en scène périodique, rythmée, où l'on fait savoir aux femmes que la figure de l'Autre-femme veut bien qu'on ait sa peau, qu'elle est consentante à ce qu'on se partage les images de son corps ; à ce qu'*une femme découpe sa silhouette dans sa texture. L'Autre-femme est consentante* moyennant un certain prix, auquel cas elle transmet son image chargée d'un brin de symbolique : le nom de sa marque, de sa "griffe" rentrée ou pas ; le nom du père de l'Autre-femme... Le dépeçage de l'Autre-femme, la mise en pièces et en série, se fait dans les règles de l'art, et du commerce. »

Daniel Sibony, *La Haine du désir.*

Rebecca est encore l'histoire de l'ombre de l'Autre femme portée sur une femme en vie – une « femme-envie » – menacée de mort par la perfection supposée de l'autre, qui l'empêche d'occuper la place de la femme aimée. Dans le film d'Hitchcock, Joan Fontaine, instal-lée par son mari Max de Winter (Laurence Olivier) à Manderley, l'immense manoir anglais où il vivait avec Rebecca, y erre comme dans un château hanté. La morte s'y manifeste à travers sa marque – sa griffe –, laissée sur chaque objet sous la forme de ses initiales, R d W pour Rebecca de Winter, brodées ou gravées, barrant de son nom, son « non », l'accès à la place de la femme aimée. Le génie de Daphné du Maurier, c'est de ne pas avoir donné de nom à la jeune mariée. Un être sans nom, c'est un être qui n'est pas né. *Rebecca* est l'histoire d'une lutte métaphysique : entre une femme qui veut revenir d'entre les morts, et une autre qui veut naître. Condamnée à sa « non-vie » si elle ne la tue pas. Mais comment faire la peau d'un fantôme ? Comme Laura,

Rebecca est morte avant que le livre de du Maurier et le film éponyme d'Hitchcock ne commencent. Puisqu'ils ne l'ont pas vue morte, protagonistes comme lecteurs et spectateurs peuvent ne pas y croire, et d'autant mieux l'idéaliser. Interprétée par la génialement maladroite Joan Fontaine dans le film d'Hitchcock, la jeune héroïne doit remplacer cette femme que tous disent « divine » auprès de son mari. Mais comment se mesurer à cette femme tellement belle et élégante, privilégiée et expérimentée, alors qu'elle n'est, elle, qu'une modeste employée – une invisible. La scène où la gouvernante, Mrs Danvers, certainement éprise de Rebecca, exhibe à Joan Fontaine l'immense garde-robe d'une sophistication exquise, d'un luxe inaccessible, de sa « maîtresse », ses manteaux de fourrure d'une douceur à défaillir, ses robes du soir scintillantes, son négligé en dentelle noire si fine, si transparente, si légère, comme une aura d'irréalité, est un chef-d'œuvre de torture féminine. Mais qui était vraiment Rebecca ? Peu importe au fond, c'est l'Autre femme, le fantasme mortifère de la femme qui vient après elle dans la vie de l'homme. Une œuvre d'artifice accomplie, qui n'éprouve aucune émotion, et peut dès lors s'abandonner tout entière aux stratégies de la séduction : une « androïde » qui a réussi à tuer en elle l'humanité la plus maladroite. Ce qu'on sait peu, c'est que Daphné du Maurier l'avait d'abord incarnée avant de la tuer, avant même d'écrire *Rebecca*, le roman qu'elle marque, et signe, de son nom dès le titre – comme si le corps même de l'auteur, ce corps textuel qu'est le livre, était lui-même irrémédiablement barré de son « non ». C'était dans une nouvelle de jeunesse intitulée *The Doll – La*

Poupée. Choquante alors, perturbante encore aujourd'hui, *The Doll* fut publiée dans une revue mais refusée par les éditeurs, puis publiée enfin en 1937 dans un volume rassemblant les recalés de l'édition, *The Editor Regrets*, pour ensuite, disparaître. *The Doll* est l'un des textes les plus énigmatiques de du Maurier, non seulement à cause de la perversion sexuelle qu'elle suggère mais parce que la jeune héroïne en question se nomme Rebecca. Lire *The Doll*, c'est pénétrer dans les coulisses de *Rebecca* et constater qu'un écrivain imagine d'abord sa créature avant de la tuer. Si l'on peut, comme la jeune épouse de Max, imaginer ce que fut Rebecca, mais l'imaginer seulement, Daphné du Maurier le sait parfaitement. Dans cette nouvelle, elle en a déjà montré toute la face obscure et sa force de nuisance : mépriser les hommes, les castrer en leur préférant un automate. Quand le jeune narrateur rencontre Rebecca dans une soirée, il est fasciné : étrange, mystérieuse, elle a la grâce d'un elfe – androgyne. Elle s'habille de velours pourpre, vit dans un appartement vide de Bloomsbury au fond duquel une porte reste close sur une pièce secrète. Un soir, Rebecca entraîne le jeune homme dans la pièce interdite, l'embrasse sauvagement, sous les yeux de l'habitant de cette chambre : une poupée ressemblant à un garçon – ou au diable. Des semaines plus tard, le narrateur fera irruption chez elle la nuit, et la surprendra enlacée avec l'automate. Cette nouvelle avait choqué : une fille préférait faire l'amour avec une poupée. Est-ce cela, son refus de l'être humain au profit d'un objet mort, qui dérange le plus, ou la métaphore qu'elle implique, comme un prolongement au discours d'Edison dans *L'Eve future* : métaphore de l'état amoureux qui ne repose que sur une réification d'un être en image parfaite ? L'automate fixe cet idéal pour toujours. Il est, pour la jeune Rebecca, préférable aux hommes de chair et de sang, toujours tellement décevants. Plus tard, elle se jouera d'eux, les torturera tous, les méprisant profondément. Avait-elle secrètement souffert à cause des hommes – d'avoir vu, un jour, leur vrai visage ? Elle ne leur laissait que la marque de son refus gravé dans leur vie, et avait préféré basculer dans la mort dès que Max de Winter avait tenté d'arracher son masque pour la confronter à sa vérité.

Daphné du Maurier avait elle aussi un secret. Dans ses lettres les plus intimes, elle confie s'être toujours sentie « garçon ». A dix-huit ans, elle vit une passion avec une autre femme, de douze ans son aînée, avant de décider d'enfermer le « garçon » qu'elle est profondément dans une boîte et de l'oublier à tout jamais. Elle se mariera, aura même un amant, des enfants, jusqu'au moment où vingt ans plus tard, elle tombe sous le charme d'Ellen Doubleday, la femme de l'éditeur américain de son père. Il lui faudra alors lutter pour que le garçon ne sorte pas à nouveau de sa cachette. Rebecca serait morte enfermée dans une sorte de boîte : la cabine d'un bateau qui a coulé. L'automate avec qui elle préfère faire l'amour gît enfermé entre les quatre murs d'une pièce secrète. La nouvelle *The Doll* s'impose elle-même comme une boîte, un coffre de mots où repose l'indicible secret de du Maurier, qui hantera tous ses romans et sera l'enjeu même de *Rebecca* : le fait qu'elle disait « non », comme Rebecca, aux hommes. *The Doll* reste peut-être le texte le plus intime de l'écrivain, qui ne pouvait le commettre que très jeune, pas encore au faîte de sa maîtrise dans l'art d'inventer une fiction et de mentir sur elle-même. Où elle se dévoile, à son insu, telle qu'elle est : Rebecca et le garçon, la créature et son secret, le désir et sa jouissance, réprouvés par la société, ne pouvant s'unir qu'en accouchant d'un créateur, l'écrivain. Qui ne s'autorisera plus qu'un seul trouble érotique : écrire.

« Il y a aussi ce passage que je voulais ajouter quelque part dans ce début mais je ne vois pas où, alors je le mets là, à part, collez-le où vous voudrez : ici ou ailleurs. Vous pouvez par exemple le coller entre le 13ᵉ et le 14ᵉ chapitre ou le coller à la place du début du 15ᵉ, ou dans un autre livre ou dans un film, la seule chose qui importe c'est qu'on voie les collures, comme on les voit sur le corps rapiécé de ce travesti (je n'ai aucun souci de mon œuvre, la répartition en individus distincts m'importe peu, j'aimerais pouvoir compter sur les autres), qu'on en voie les coutures (rendre visible le parcours, la trame, matériellement j'écris moi-même en rapportant des morceaux de feuilles, en les collant, les agrafant, les déchirant, avec des crayons de couleurs différentes, sur plusieurs tables, en plusieurs lieux) et qu'on écrive non "comme on coud une robe" (Proust) ni "comme une fille enlève sa robe" (Bataille) mais comme on la met à plat : on la prive de toute profondeur, de toute épaisseur, de tout volume et on voit surtout la façon dont elle est faite : ses empiècements, ses articulations, ses doublures, ses espacements, son entoilement, ses coutures, sa texture et il importe peu alors que la

manche soit à la place de la jambe ou à l'envers, j'essaie d'écrire un livre cousu de fil blanc. »
Jean-Jacques Schuhl, *Télex n° 1.*

Ecrire, couper, monter, assembler, coudre : le couturier a des gestes communs avec le chirurgien, le cinéaste et l'écrivain. Il est celui qui écrit sur le corps des femmes l'histoire qu'il veut leur faire jouer et qu'elles seront des centaines, des milliers, à interpréter. Madeleine Vionnet concevait d'abord ses modèles en miniature, sur une poupée de bois à l'image d'une petite fille, positionnant ainsi la mode comme la mère de toutes les femmes qu'elle allait habiller, réduisant les femmes aux rôles de poupées vivantes à qui l'on imposerait un goût, un style, une vie. Et puis dans les années cinquante, le processus s'est inversé. Ce sont les petites filles qui se sont mises à habiller des poupées à l'effigie de femme adulte. Barbie, et sa multitude de vêtements adaptés à chaque circonstance sociale, chaque rôle que la petite fille lui ferait jouer sur le petit tapis de bain près de la baignoire qu'elle avait transformé, au gré de son imagination, en salle de bal, restaurant, salon ou chambre, et parfois appartement entier avec ses murs dessinés à la craie blanche. Barbie avait sa robe de cocktail, sa robe d'été ou sa robe d'hiver, son ensemble *casual*, sa tenue de gymnastique, d'équitation, de tennis, de plongée, ses robes du soir en lamé et ses manteaux de fourrure, son costume pantalon, son blue-jean, ses mules blanches à talons aiguilles et son vanity en plastique rose ; puis elle eut une voiture, une moto, un cheval, et enfin, un fiancé. Plus tard, nous allions continuer. Nous allions jouer à la poupée avec nous-mêmes, limitant le monde à un tapis de bain, nos gestes à nos petits vêtements, embrassant le destin miniaturisé auquel nous avions été entraînée.

Elle m'achète une merveilleuse tenue de soirée pour ma poupée Barbie : une combinaison pantalon en lurex doré, dont l'encolure et les poignets sont bordés de douces plumes blanches. Je l'adore. Nous déjeunons ensemble, mon père, mon frère, cette jeune femme brune tellement « gentille », et moi. Nous rions beaucoup. Sur le chemin du retour, mon père m'ordonne de ne rien dire à ma mère, mais celle-ci, dès mon arrivée, me demande qui m'a offert ce joli vêtement de poupée. Je le lui dis, j'ai sept ans, je suis incapable de mentir à ma mère, c'était trop me demander. Elle éclate en sanglots. Je me retire dans ma chambre, où mon père vient me trouver, furieux : « Je t'avais demandé de te taire. Ne parle plus. Jamais. »

La poupée de Marguerite, dans *Les Petites Filles modèles*, entre dans sa vie et dans la mienne avec son trousseau – et c'est dans cette garde-robe miniature que je me réfugie tout un été, qui m'aide à m'évader d'une réalité insupportable et qui me sauve. J'ai huit ans, mes parents viennent de divorcer, mais je ne l'apprendrai que plus tard. Avec ma mère et mon frère, nous passons un dernier été dans notre maison de campagne qui sera mise en vente dans quelques mois. Un immense salon vide, juste une table, trois chaises, et un petit pick-up sur lequel ma mère écoute les chansons les plus tristes de Brel. Elle est perdue dans ses pensées, elle ne sourit plus jamais, et on n'a pas revu notre père depuis longtemps.

Je sens qu'il se passe quelque chose d'anormal, mais je ne parviens pas à le nommer, et personne ne m'en parle, alors l'anxiété commence : je pleure toutes les nuits avant de m'endormir, sans savoir pourquoi. Jusqu'au soir où, avant d'éteindre la lumière, j'ouvre un roman de la comtesse de Ségur et tombe sur la liste de la garde-robe de la poupée de Marguerite :

1 robe en mérinos écossais ;
1 robe en popeline rose ;
1 robe en taffetas noir ;
1 robe en étoffe bleue ;
1 robe en mousseline blanche ;
1 robe en nankin ;
1 robe en velours noir ;
1 robe de chambre en taffetas lilas ;
1 casaque en drap gris ;
1 casaque en velours noir ;
1 talma en soie noire ;
1 mantelet en velours gros bleu ;
1 mantelet en mousseline blanche brodée.

1 chapeau rond en paille avec une petite plume blanche et des rubans de velours noir ; 1 capote en taffetas bleu avec des roses pompons ; 1 ombrelle verte à manche d'ivoire ; 6 paires de gants ; 4 paires de brodequins ; 2 écharpes en soie ; 1 manchon et une pèlerine en hermine ; 6 chemises de jour ; 6 chemises de nuit ; 6 pantalons ; 8 jupons festonnés et garnis de dentelle ; 6 paires de bas ; 6 mouchoirs ; 6 bonnets de nuit ; 6 cols ; 6 paires de manches ; 2 corsets ; 2 jupons de flanelle ; 6 serviettes de toilette ; 8 draps ; 6 taies d'oreiller ; 6 petits torchons ; un sac

contenant des éponges, un démêloir, un peigne fin, une brosse à tête, une brosse à peignes.

Est-ce l'opulence de la liste qui me rassure ? La beauté de ces mots que je ne comprends pas, « taffetas », « talma », « casaque », qui me fait rêver à un ailleurs heureux me délivrant de l'ombre qui ne va pas tarder à s'abattre sur moi pour recouvrir le reste de ma vie ? Je relis sans cesse cette litanie et me mets à halluciner : je suis la poupée, mes petits vêtements sont parfaitement rangés, et je ne manque de rien. Je découvre le pouvoir magique des mots et des vêtements, celui de m'ouvrir les portes, non pas seulement d'une petite garde-robe, mais d'un monde parallèle où tout est en ordre, à sa place quand les humains perdent la leur ou peuvent en changer sans crier gare, où les robes deviennent promesses de sécurité, quand tout, autour de moi, respire le chaos. J'ouvre le livre à cette page et je tombe dans une vie miniature qui me sauve de la tristesse d'une enfance déjà saccagée.

Garbo n'aimait que les grands espaces : les îles sauvages de la Suède, les longues plages désertes de Santa Monica, les promenades sous la pluie en Suisse, les rues de New York quand elles sont vides à l'aube.

Elle s'est battue toute sa vie contre son destin miniaturisé – elle n'eut ni mari, ni enfants –, contre le masque de la poupée-fétiche qui représenterait toutes les femmes – elle ne voulait plus représenter qu'elle-même. Elle vécut dans l'ombre pour se soustraire à l'obligation des masques qu'exigeait le spectacle, parce que Hollywood l'avait déjà trop réduite à un idéal démultiplié en images comme autant de produits dérivés vendus en série. Elle ne voulait pas être aimée pour Garbo, parce que le masque « Garbo » reposait sur sa valeur marchande et la métamorphosait aussitôt en produit. Elle voulut être aimée pour elle-même, vivre avec elle-même et pour elle-même, ne pas se parer des artifices choisis par d'autres, pour en faire l'Autre femme que tous désirent, envient et veulent tuer. Pourtant, la majeure partie de sa garde-robe est signée par une autre femme, du « nom » d'une autre femme : Valentina.

Valentina Nicholaevna Sanina Schlee fuit la Russie bolchevique en 1919, avec pour tout bagage les diamants de sa famille serrés dans un mouchoir au creux de ses mains. Du moins c'est ce qu'elle avait raconté, plus tard, à ses proches en Amérique. Elle était née le 1er mai 1899 à Kiev. Ou était-ce en 1889 ? Il semblerait que son passeport russe ait été trafiqué pour la rajeunir de dix ans. Autre modification : ses origines sociales. Alors qu'elle était d'origine modeste, rien de tel que la revendication d'un background aristocrate pour pénétrer les milieux huppés de Manhattan. Valentina aurait même été danseuse dans les Ballets russes de Diaghilev. Comme Coco Chanel, elle n'a jamais cessé de réinventer sa vie pour mieux camoufler la tache – la pauvreté – qui pourrait à l'âge adulte se transformer en gouffre. Comme Coco Chanel, Valentina s'inventa une richesse et une aristocratie pour mieux s'ériger à la hauteur des clientes qu'elle briguait – grandes fortunes patrimoniales, stars de cinéma – et gravir à toute allure les échelons de la société. Le mensonge devenait un vêtement dont elle rhabillait sa vie pour mieux duper ses futures proies, en leur faisant endosser avec perversité les vêtements dont elle-même se parait. Coco et Valentina n'auront cessé de transmettre aux femmes leur propre style, de les dupliquer à leur image – de les travestir en elles-mêmes, qui avaient travesti leurs origines. Elles devinrent aussi stars que les stars qu'elles habillaient, aussi riches que les grandes bourgeoises à qui elles vendaient leurs masques haute couture.

Quelques années auparavant, comme un signe des temps, Pierre Souvestre et Marcel Allain écrivaient *Fantômas* – adapté au cinéma par Louis Feuillade, l'homme qui avait déjà inventé le léotard passe-partout de Musidora dans *Les Vampires*. Né en 1910-1911, Fantômas était ce gangster des bas-fonds de Paris que la police n'attrapait jamais tant il multipliait les apparences et les identités, se travestissant en aristocrate, en banquier ou en haut fonctionnaire, changeant à chaque fois de nom, et intégrant ainsi une bonne société qui lui aurait, au vu de son vrai visage, fermé ses portes. Ce que mettait en scène *Fantômas* de très contemporain, c'est que pour mieux « s'intégrer », il faut toujours avancer masqué. Le masque comme seule possibilité de se mouvoir ascensionnellement, de passer d'une classe sociale à l'autre avec fluidité, de pouvoir pénétrer des sphères élevées auxquelles nos origines ne nous permettraient même pas de rêver. Mais sous ses airs diaboliques – la tromperie forcément manipulatrice inhérente au masque, c'est le diable –, il se dégage, chez Fantômas, une étrange tristesse. A force de multiplier les apparences, nul ne sait plus qui il est vraiment – d'ailleurs, le sait-il lui-même ? L'artifice aura raison de son vrai visage, se désintégrant derrière le maquillage, les perruques et les vêtements, comme s'il ne pouvait plus se matérialiser que dans son apparence, le mensonge du masque pour toute vérité, effaçant peu à peu le corps de celui qui le porte, le niant même, jusque dans le néant, le désincarnant jusque dans son nom de personnage – Fantômas, le fantôme, celui qui est mort depuis longtemps déjà, le spectre d'une identité errante, flottante, effilochée jusqu'au vide. Ainsi, pour gravir les échelons de la société il faudrait d'abord mourir. Travestir ses origines, et mieux encore : les oublier. Devenir amnésique de soi-même. Hanter sa propre vie comme un fantôme à la dérive, rompu à l'excès de vêtements et d'accessoires pour se donner l'illusion d'exister, au costume pour sortir de l'invisibilité, à des mises en scène de son corps de plus en plus théâtrales à mesure que la tangibilité de celui-ci vacille, pour mieux se prouver qu'il est, encore, vivant.

Pour ces femmes, en plus d'avoir menti sur leur passé, la couture exacerbe le pouvoir du masque : en vendant leurs propres travestissements à toutes celles qu'elles veulent égaler socialement, elles peuvent enfin s'offrir une existence qui correspond à leur déguisement. Plus elles mutilent leur histoire, les mots qui les constituent intimement, plus elles démultiplient leur image. Coco et Valentina sont les premiers et les meilleurs mannequins de leurs créations, elles sont leurs propres créations, elles en seront aussi les meilleurs promoteurs auprès de ces autres femmes qu'elles ont tant enviées – pour pouvoir, enfin, prendre leur place. Devenir aussi riches, aussi puissantes, aussi respectées que toutes ces femmes de la haute bourgeoisie qui, en un temps encore récent, leur auraient fermé les portes de leur vie, de leur salon, de leur classe. Chanel est le premier « fournisseur » à fréquenter la haute société à égalité.

C'est à la gare de Sébastopol, alors qu'il fuit aussi pour l'Amérique, qu'elle aurait rencontré son futur mari, George Schlee – encore que nul ne fut jamais certain qu'ils furent véritablement mariés. Ils n'atteindront New York qu'en 1923, et y deviendront rapidement les piliers de sa café society. La femme a du caractère et son style, très personnel, frappe les femmes qui la côtoient : alors que toutes arborent la nouvelle mode des jupes courtes, Valentina s'impose en jupes longues, et face aux demandes incessantes de ses proches, ouvre sa maison de couture sur Madison Avenue en 1928. Très vite, elle habille les *socialites* de ses longues robes minimalistes au style « colonne », de crêpe, de jersey ou de satin, proches des créations de Madame Grès et de Madeleine Vionnet. Si elle réalise des costumes pour la scène, c'est en privé qu'elle habille les stars de cinéma, de Gloria Swanson à Katharine Hepburn, dont elle dira « je l'ai enfin fait ressembler à une femme ». Elle leur impose son goût, la vision qu'elle a de leur style, de leur corps pour mieux l'embellir : quand l'une commande une robe verte, Valentina la réalise en rouge, parce qu'elle pense que le rouge lui irait mieux, et qu'elle se trompe en choisissant du vert. Quand Ingrid Bergman se présente à un essayage avec une veste de tailleur aux épaules démesurées, Valentina lui subtilise sa veste pendant que l'actrice essaie ses nouvelles robes, s'empare de ciseaux, découpe l'emmanchure, en réduit abondamment les paddings, recoud les manches et remet la veste dans la cabine d'essayage de Bergman, sans lui en avoir rien dit. Une autre fois, après qu'Ava Gardner, lasse de l'avoir attendue quarante-cinq minutes, la traite de « salope russe » parce que « personne ne la fait attendre » et claque la porte de sa maison de couture, Valentina s'exclame : « Dommage, j'aurais pu aider cette femme ! » Et puis Garbo entre dans son salon, et dans sa vie.

« Je ne fais pas des robes, j'habille les femmes. » Valentina détestait la mode. Cette frivolité qui consiste à s'adapter à toutes les nouvelles tendances, qu'elles conviennent ou non à certaines morphologies ou modes de vie. Elle ressentait cette uniformisation du goût comme une négation de l'individualité de chacune, de ses caractéristiques propres, de ses atouts ou de ses défauts physiques, la personnalité consistant pour la Russe à choisir le rôle qu'elle voulait jouer dans sa propre vie, et à se servir du vêtement comme d'un outil qui lui permettrait de l'interpréter. Au fond, Valentina appréhendait la vie comme une fiction : une scène de théâtre sur laquelle jouer à être soi-même, cette femme que vous aviez créée de toutes pièces, une émanation de votre goût profond. Là encore, le vêtement-costume serait comme un mensonge qui vous permettrait de vous révéler à vous-même en même temps qu'aux autres – un artifice qui vous autorisait la vérité. La vie entière deviendrait cette scène sur laquelle vous évolueriez, sans relâche – jamais. Même chez soi, hors du jeu social : « Ce que vous portez chez vous est comme le costume de votre propre rôle », insistait-elle. La scène, le costume de scène, Valentina en connaissait les ressorts par cœur, et quand elle disait « Je ne travaille pas pour le théâtre, je suis le théâtre », elle avait doublement raison. D'abord parce qu'elle mettait en scène ses créations sur elle-même lors de soirées mondaines, dans la vie de tous les jours, dans les studios des photographes pour les plus grands magazines de mode ; ensuite dans son salon, en organisant des défilés à la façon d'un « one-woman show », où elle était la seule mannequin, se changeant pour chaque tenue, à chaque passage, comme la seule comédienne de son petit théâtre de couture. Enfin, parce que Valentina fut, au sens littéral, une actrice.

Elsie de Wolfe, dite aussi Lady Mendl, décoratrice, lesbienne, et femme du monde, n'en pouvait plus du style trop *casual* de Garbo. Elle le lui dit, et Garbo, toujours stoïque, lui propose de lui faire parvenir un choix de vêtements. Le lendemain, Elsie lui envoie des « bases » (des « patrons ») de robes, en mousseline blanche, des formes qui seraient parfaites sur elle. Quelques jours plus tard, quand Elsie de Wolfe sonne chez elle, c'est une Garbo habillée dans l'un de ces patrons qui la reçoit : « Je ne peux pas te dire à quel point je trouve belles les robes que tu m'as envoyées… Je les porte tous les jours ! »
Son ami Gayelord Hauser, lui aussi, en avait assez de son aspect trop « sport », alors il l'emmène chez Valentina pour un relookage complet. Et c'est ainsi qu'un après-midi de 1939, Garbo sort de la cabine et entre dans la vie des Schlee, complètement nue.

Alors qu'elle fuit la Russie en 1919, la jeune fille a déjà joué un petit rôle. En 1921, de passage à Paris, les Schlee fréquentent la communauté des Russes blancs et se lient avec Léon Bakst, le costumier des Ballets russes de Diaghilev, qui a dessiné les costumes mythiques de *L'Après-midi d'un faune*. Cette amitié permettra à Valentina de dire, des années plus tard, qu'elle fit partie des Ballets russes, ce qui est faux. Plus sûrement, elle lui ouvrit les portes du Théâtre de la Chauve-Souris de Nikita Balieff. En avril 1922, elle joue dans la Revue russe – du théâtre d'avant-garde – de Maria Kousnezoff, une proche de Bakst, au théâtre Femina à Paris. Puis, en octobre, à New York. Mais la carrière de Valentina bat vite de l'aile aux Etats-Unis. Elle commence alors à travailler comme mannequin pour des photographes de mode, avant de claquer la porte au nez de l'un d'eux parce qu'elle en a assez de porter des « vêtements horribles ». On est en 1923. Bakst meurt en 1924. Avant de s'éteindre, il conseille à la jeune femme de devenir créatrice de mode.

Quand Garbo sort nue de la cabine de Valentina Inc, Fifth Avenue, George Schlee en tombe éperdument amoureux. Mais ce qui se joue à ce moment-là est bien plus fort, et se joue avant tout entre les deux femmes. Quelle est la première à ressentir un trouble ? Laquelle, de Valentina ou de Garbo, sent qu'elle est face à son double – face à son double en « mieux » ? Valentina, même si elle apparaît brune sur les photos, fut une jeune fille blonde, comme Garbo. Elle a des sourcils aristocratiques, de hautes pommettes slaves, des lèvres fines et sensuelles, la paupière tombante, le teint diaphane, la maigreur de Garbo. Si ces traits contribuent à créer l'harmonie classique du visage de la star, ils sont plus exacerbés chez son double russe qui dira : « J'étais une version gothique de Garbo. » Elle se retrouve face à un sosie qui aurait réussi là où elle a échoué, qui aurait mené son désir à terme : l'actrice avortée face à la star la plus absolue. Garbo a aimé l'acteur John Gilbert, mais c'était il y a longtemps. A présent, c'est une femme seule, déçue par ses amours, au style inachevé, à l'élégance bâclée, qui rencontre une femme qui a accompli ce qu'elle a raté : un mariage où chacun se montre solidaire (c'est George qui a installé sa maison de couture et en assure la gestion), une stature d'icône de mode, un style comme affirmation de soi. Valentina a fait de sa vie un théâtre, Garbo ne sait pas quel rôle jouer hors des plateaux. Elles se rencontrent, se reconnaissent, fascinées par le reflet merveilleux que chacune offre à l'autre. Entre elles, un miroir permettra de prolonger l'illusion : George ?

Les hommes sont-ils les miroirs que s'offrent les femmes : les plus rassurants comme les plus cruels ? *Qui* voit vraiment une femme lorsqu'elle se regarde dans un homme-miroir ? « Miroir, miroir, suis-je la plus belle en ce royaume ? » demande chaque matin la méchante reine de *Blanche-Neige* à son miroir parlant – et s'il parle, comme un homme, c'est qu'il peut désirer, comme un homme. La réponse est toujours et invariablement positive, jusqu'au moment où le miroir (a-t-il vieilli ? s'est-il lassé ?) répond « non » et lui désigne le visage d'une autre femme comme plus beau que le sien. Plus jeune, plus désirable. La reine n'aura plus qu'une obsession : la tuer. La tuer plutôt que renoncer au miroir.

En 1926, Greta Garbo tombe très amoureuse de John Gilbert. Beaucoup dirent que c'était la première fois qu'elle tombait amoureuse, qu'elle allait enfin concilier le sexe et les sentiments. Deux stars du muet rassemblées pour la première fois dans un film, *Flesh and the Devil*, de Clarence Brown. Ils furent, bien avant les couples Katharine Hepburn-Spencer Tracy, Elizabeth Taylor-Richard Burton, Angelina Jolie-Brad Pitt, le premier couple iconique de l'histoire du cinéma. Louis B. Mayer en joua pour promouvoir ses films, et faire la publicité de la MGM. Gilbert, qui était un coureur, tomba fou amoureux de Garbo, puis en devint fou tout court. L'étrange Suédoise refusait chacune de ses demandes en mariage. Il l'installa vite chez lui, lui donnant une chambre dans sa vaste demeure de style espagnol sur les collines de Hollywood, protégée par de hauts murs, solitaire au détour d'une route, entourée de palmiers que la brise agitait parfois, comme effleurés par un fantôme, et qui se découpaient en ombres chinoises sur le ciel bleu roi quand la nuit tombait. Elle se servait alors quelques cocktails. Elle se promenait seins nus au bord de la piscine, seule ou en compagnie des amis (trop nombreux à son goût) de Gilbert, qui la regardaient légèrement gênés, mettant son naturisme sur le compte de ses mœurs libérées importées de Suède. A croire qu'elle se foutait complètement des autres. Ils ne l'intéressaient que pour faire du tennis sur le court derrière la propriété, ce qu'elle adorait. Mais la plupart du temps, ils l'ennuyaient, alors quand Gilbert recevait, elle restait dans sa chambre, et qu'importe s'il la suppliait de descendre.

Garbo fut la femme la plus riche de Hollywood, la première femme à être mieux payée que les hommes, le premier mythe du xxᵉ siècle. Et pourtant, ça n'avait pas suffi. Quelque chose lui avait échappé. A soixante-dix ans, elle se promène dans les rues de New York avec un ami. Celui-ci lui parle soudain de John Gilbert. Alors elle lâche ses paquets, porte ses mains à ses oreilles et se met à hurler.

Valentina allait lui offrir la garde-robe idéale, décider à sa place de son style, de son rôle à jouer dans sa propre vie ; et George serait le miroir qui légitimerait ce moi. Il renverrait à Garbo l'image d'une femme aimée par lui, donc juste – celle, dupliquée, de Valentina ; il renverrait à Valentina l'image de l'actrice qu'elle désirait être, mais pour de vrai, au-delà de toute mesure. Dès leur rencontre en 1939, ils ne se quittèrent plus, comme si Garbo avait enfin trouvé l'entourage idéal. Ils faisaient scandale en s'affichant dans toutes les soirées en trio, les deux femmes habillées exactement pareil, chacune au bras de George. Avec eux, Garbo se sentait enfin autorisée à être elle-même – c'est-à-dire une autre ? Une femme vide qui se remplit d'une autre ou une femme qui peut enfin assumer, afficher, sa propre dualité ? Deux ans plus tard, elle tourne son dernier film, *La Femme aux deux visages*.

Valentina et Garbo auraient eu une liaison. Puis George tomba amoureux de Garbo, et ils s'amusèrent à sortir à trois et à faire jaser. Lors d'un week-end à la campagne, en 1940, Valentina porte une ceinture sur laquelle est inscrit « Three's a crowd » (Trois c'est trop) ; en décembre, la même année, elle pose pour *Harper's Bazaar* en longue jupe noire, perchée sur un tabouret, la jupe négligemment relevée, laissant apparaître le bord d'un jupon rose où est brodé en lettres noires « Jamais deux sans toi ».

Il se découpait parmi les robes, seul manteau, seule teinte aussi forte, comme le seul animal d'une seule espèce. Il semblait perdu, déplacé parce que manteau, incongru parce que rouge, mais plus présent que le reste des vêtements qui l'entouraient. Il n'était, pourtant, pas mon genre. J'avais délaissé le vintage, les années cinquante, opté pour des coupes plus contemporaines, des manteaux Westwood ou Margiela, du noir, encore du noir, toujours du noir. Mais je me suis mise à en rêver. Je me suis mise à le mettre en scène, jeté sur mes épaules, seul hymne à la couleur sur un col roulé noir, une minijupe noire, des talons aiguilles noirs. Avec lui, je traversais le cœur battant le hall d'un hôtel à Londres pour rejoindre un homme aimé.

La chambre bleue du Cadogan. Pendant six mois, nous nous y retrouvons. Pendant six mois, rien ne m'a rendue plus heureuse que de m'habiller pour le rejoindre, de me déshabiller pour le rejoindre encore. Il est le seul à ne m'avoir jamais demandé de changer de style, à ne s'être jamais mêlé de mes vêtements. Seulement des notes positives et gaies : il pointe telle robe qu'il trouve « charmante », telles sandales qu'il trouve « jolies ». Et il reste le seul que je ne nommerai pas ici par des initiales, parce que les initiales sont de longues aiguilles dont je me sers pour épingler les autres comme des papillons morts. Lui, je le désigne par des expressions aussi belles que désuètes : « l'homme que j'aime », « l'homme que j'aimais » ou encore « l'homme aimé ». Avant lui, il y avait eu F., il y avait eu J., que j'avais cru aimer, qui avaient cru m'aimer, tout en me demandant tôt ou tard de rentrer dans un cadre, le leur, fantasmagorique, qui déterminait précisément la place que devait occuper une femme dans leur vie. D'ailleurs, qui n'avait pas son petit cadre amoureux, dans lequel il essayait de faire rentrer l'autre qui, s'il ne s'y pliait pas, s'en trouverait rapidement éjecté ? Cadre social, cadre esthétique, cadre confortable, conditions imposées à l'amour pour qu'il dure, car ce sentiment soi-disant pur n'avait au fond rien de complètement romantique, avais-je fini par comprendre. Le cadre, toujours prosaïque, reprenait vite ses droits face aux sentiments. A travers leurs exigences de me voir porter certains vêtements, c'était ce qu'ils avaient, tous, tenté de m'imposer. « Je t'aime », me disait F., me disait J., « mais tu dois rentrer dans le cadre, sinon ce sera impossible. » Alors je faisais de mon mieux, mais n'y parvenais jamais vraiment. « Je t'aime », disais-je à F., disais-je à J., « et je rentre dans le cadre, mais hélas, pas ma tête. Ma tête dépasse du cadre. » Aucun d'eux n'avait hésité : « Alors, coupe-la. » Lui, il ne me demande rien que ces rendez-vous secrets au Cadogan à Londres, dans la chambre bleue, dans la nuit d'un bleu plus sombre, la nuit qui efface toute appartenance, les vêtements, qui nous déterminent tant, qui disparaissent, et les caresses d'abord tremblantes qui remplacent nos regards pour découvrir le corps de l'autre. Il s'en va avant l'aube, et je ne lui demande rien ; il ne me pose aucune question.

Entre nous, murmurés timidement, seulement des mots tendres, la douceur, une infinie douceur, dans un lieu transitoire. Mais un amour peut-il survivre hors du regard des autres ? Qu'est-ce qu'un amour invisible, sinon un amour qui « n'existe pas » ?

Il était né à Neuilly, avait grandi dans la propriété familiale des Cotswolds, fait ses études à Eton, et pour son vingtième anniversaire, son père lui avait offert son premier appartement à Mayfair ; je venais d'une cité HLM de la banlieue Sud, et j'avais vu ma mère pleurer parce qu'elle n'avait pas d'argent pour payer le loyer. Le fils de riches et la fille de pauvres qui se retrouvent dans leur goût commun pour la littérature, réunis sur ce terrain à égalité – deux enfants qui ont trouvé refuge, dès leur plus jeune âge, dans les mots, les aventures merveilleuses des autres. Pourquoi la littérature, lui avais-je demandé dès notre premier rendez-vous ? Pour ne plus penser au divorce de mes parents, et vous ? Pour ne plus entendre le bruit des machines à coudre dans l'atelier de confection où travaillait ma mère. J'allais l'y attendre après l'école, et sur le chemin du retour, elle me parlait de livres. Elle avait quitté l'école à quatorze ans pour travailler dans l'atelier de ses parents, dans leur petit pavillon de banlieue, trois pièces où ils vivaient à sept. Et elle n'avait plus jamais cessé de lire. « Le bonheur ? » me disait-elle, « c'est d'avoir un livre, du café et des cigarettes. » J'avais suivi ce programme à la lettre. On riait, pour un rien, tout le temps. Avec lui, je retrouve cette gaieté simple, magique, de l'enfance. Lui aussi : « Cette gaieté, je ne l'avais pas éprouvée depuis tellement longtemps », me dit-il. Nous formons, ensemble, une microsociété secrète. Mieux : une merveilleuse utopie.

Pendant que Valentina habillait Garbo, son mari se mit à la déshabiller. Peu à peu, ils sortirent sans Valentina. Ils devinrent inséparables, voyageant ensemble, passant l'été dans la villa de George, à Cap-d'Ail. George commença à gérer les biens de Garbo, comme il gérait ceux de sa femme. Il se mit à la soutenir, à l'encourager, à jouer les agents, les promoteurs, les conseillers, comme il l'avait fait pour Valentina lors de la création de sa maison de couture. Et en 1952, Garbo emménagea dans le même immeuble que les Schlee, au 450 East 52nd Street, à New York. Un immeuble gothique, appelé le « Campanile ». Peu à peu, Valentina allait sortir du cadre. Garbo avait gagné. Elle s'était approprié sa garde-robe, son mari et sa maison. Elle avait pris la place de la femme aimée et était aimée à son tour.

Dans la salle des ventes de Julien's, une jeune femme aux cheveux rouges, la frange taillée en cœur, n'enchérit que sur certains vêtements de Garbo : ceux signés Valentina. Elle est spécialiste du vintage. Garbo, elle s'en fiche un peu, elle n'est venue que par fanatisme pour Valentina, dont elle traque tous les vêtements dans les salles des ventes. Le samedi 15 décembre, dans l'après-midi, elle est venue chercher la pièce qu'elle a achetée la veille, une jupe longue en lin noir, ceinturée à la taille : « En Amérique, personne ne se souvient de Valentina, alors qu'elle fut si importante dans les années trente et quarante, un peu comme une Coco

Chanel new-yorkaise. » Aujourd'hui, il ne lui arrive d'être mentionnée dans tel livre ou tel magazine que parce que son sort fut lié à celui de Garbo.

Il paraît que les deux femmes se mirent à se haïr, qu'elles avaient élaboré un emploi du temps précis qui leur permettrait de ne jamais se croiser dans le hall de l'immeuble. Pourtant, le petit-neveu de Garbo se souvient que bien après la mort de George, survenue en 1964, Garbo et Valentina étaient encore amies, et il avait plus d'une fois trouvé Valentina dans le salon de sa grand-tante, un cocktail à la main. Et puis ce dont sa garde-robe témoigne, c'est que Garbo s'habillait toujours chez elle dans les années cinquante et soixante.

J'allais revêtir plus puissant que la cape d'invisibilité dont j'avais parfois rêvé : la peau de la femme la plus aimée au monde, dont la véritable peau de satin blanc avait capté toutes les lumières – de la photographie au cinéma –, tous les regards – des plus artistiques aux plus voyeurs –, toutes les attentions. Le manteau de cette femme aurait les mêmes pouvoirs : capter toute la luminosité du monde pour mieux la renvoyer aux autres en les irradiant – jusqu'à les rendre aveugles. Ce manteau-qui-rend-aveugle m'offrirait en m'exposant une autre façon d'échapper au regard. En leur brûlant les yeux, le manteau allait les rendre aveugles comme on dit que « l'amour rend aveugle ». Dans la matinée du 15 décembre 2012, j'achète le manteau de Greta Garbo.

Ils étaient venus du monde entier pour acquérir un morceau de la femme qu'ils aimaient. C'était ce qu'il y avait de plus émouvant, cette tension affective qui parcourait la salle, qui n'avait rien à voir avec de l'idolâtrie. Ils l'aimaient, voilà tout. Ils ne voulaient pas acquérir un objet de sa garde-robe pour le vénérer, mais pour le chérir. Parce que cette femme, un instant de leur vie, en apparaissant sur grand écran, les avait rendus heureux. La première à qui j'avais parlé, c'était Nelly, une femme magnifique aux pommettes hautes et yeux bleu acier, d'une élégance d'un autre temps, qui à quatre-vingt-cinq ans avait fait le voyage du Sud de la France à Los Angeles pour acquérir un petit meuble en bois ayant appartenu à la femme qu'elle aimait depuis qu'elle l'avait rencontrée en 1952. Elle travaillait dans une galerie de la rue de Seine quand Garbo était entrée avec un ami. « Elle était fraîche, lumineuse, très gaie. Elle portait un petit chandail et une jupe plissée marine. J'étais tellement bouleversée que je me suis réfugiée dans le bureau de mon patron. Elle produisait ce type d'effet sur tous ceux qu'elle croisait. Quand j'en suis ressortie, elle avait disparu. J'ai passé le reste de ma vie à me demander : et si je lui avais parlé ? Ma vie aurait-elle été différente ? » Elle se fatigue, marche difficilement, s'appuie longuement sur sa canne, mais revient chaque jour, et assiste durant deux longues journées à la vente, et à la fin, elle m'offre le livre qu'elle a écrit des années plus tôt sur Garbo – la vie est pleine de signes qu'on ne déchiffre jamais sur le moment. Je rencontre aussi Gerald, dandy en costume de tweed et fine moustache années vingt, qui a fait le voyage depuis l'Ohio pour acheter trois toques noires. Une jeune femme blonde un peu ronde me dit qu'elle tient à quelques chapeaux de paille. Et face à nous, une rangée d'ordinateurs menaçants en contact avec le monde entier. Chacun, dans la salle, me confie avoir peu d'argent. Nous formons rapidement une communauté solidaire, le petit peuple du réel ligué contre le vaste peuple virtuel dont les moyens semblent dangereusement illimités. Parmi nous, deux hommes à la dégaine de mafieux russes, en costumes trois pièces et mallettes, qui raflent tous les souliers Ferragamo à des prix fous, tant l'argent ne semble pas un problème pour eux : c'est la société Ferragamo qui les envoie, pour ajouter à ses archives ces pièces créées jadis pour Garbo. A part eux, seulement des particuliers, Nelly, Gerald, et un vieux couple qui, au dernier moment, dépensera des sommes folles pour une minuscule boîte à pilules au couvercle gravé d'un G géant. Nous repartirons tous avec la pièce que nous avions choisie. C'est comme si les deux commissaires-priseurs nous avaient repérés, et avaient voulu, en écourtant le temps laissé à un éventuel concurrent pour se manifester par téléphone ou sur le Net, nous remercier d'avoir fait le voyage jusqu'à Los Angeles, d'avoir suivi la vente durant ces deux journées, de les avoir accompagnés durant ces très longues heures, soutenus par notre présence, d'avoir déjeuné avec eux, ri avec eux, partagé avec eux quelques cigarettes sur le trottoir devant Julien's. L'image de ce carrefour, devant la maison de ventes, où je sortais fumer en m'asseyant sur un petit mur de pierres, s'est imprimée pour toujours dans ma mémoire ; les grandes avenues immaculées, leurs grands magasins, Saks, Barneys, en forme de cubes années vingt, les voitures vintage qui s'arrêtent aux feux rouges : l'impression de vivre dans un Lubitsch, et puis le soleil qui caresse étrangement comme si c'était le printemps à Noël et qui, ajouté à la garde-robe vintage de la plus grande star du cinéma muet, rend soudain tout intemporel, un fragment de vie suspendu hors de la vie, ce type de moments où je me sens le mieux. Nelly me rejoint souvent et me raconte qu'elle a tenu une galerie avenue Montaigne, dîné un soir avec Marlene Dietrich qui lui a donné la recette du pot-au-feu qu'elle mitonnait pour Jean Gabin, et elle me confie que ce voyage sera son dernier, parce qu'elle a déjà tout prévu : bientôt elle ira passer deux semaines dans une suite du Carlton à Cannes, puis prendra une pilule pour mourir ; avant, elle a tenu à approcher la femme qu'elle aime depuis de longues années, celle qui a adouci cette vieillesse qu'elle abhorre, à l'approcher en approchant ses robes, les objets qu'elle a touchés, ce meuble qu'elle a vu, chaque matin, dans son appartement de Manhattan. Plus tard me rejoint ce commissaire-priseur avec un catogan et d'énormes bagues, l'oncle de Darren Julien, le fondateur de la maison de ventes. Il y avait tellement plus de monde à la vente des affaires de Michael Jackson, quelques mois plus tôt, m'assure-t-il, « c'était l'hystérie ». Quand c'est au tour du lot attendu par l'un de nous, la tension monte. Nous voulons qu'il le remporte comme un trophée. Et quand chacun de nous remportera l'objet qu'il convoite, il se tournera vers les autres les yeux brillants, le visage empourpré, et les autres l'applaudiront, le féliciteront, submergés eux aussi par l'émotion. Nous aurons été les compagnons d'une étrange expérience. Des êtres sortis de nulle part, réunis par un dénominateur commun, cette femme morte, avant de reprendre leur route. Je connaissais mal la vie et la personnalité de Garbo avant de découvrir sa garde-robe, mais je me suis mise à l'aimer, pour son courage, son humour laconique, sa soif d'absolu, ses bonheurs simples suivis de mélancolie sombre, mais surtout son intransigeance, un sens très aigu de sa dignité, son refus des compromis au risque, même, de se condamner à la solitude. Ce qui fut le plus important pour Garbo, et ce qu'elle fit passer avant tout : pouvoir continuer à se regarder dans une glace, chaque jour, sans avoir honte d'elle-même. On ne s'intéresse autant à un sujet que parce qu'il dit quelque chose de soi, une vérité enfouie que l'on ne parvient pas encore à formuler, et chacun de nous avait ses raisons pour l'aimer. Mais c'est comme si l'affection que nous lui portions, la volonté de sauver un pan de son être, de sa vie, rejaillissait sur nous tous.

Le samedi 15 décembre, en fin d'après-midi, alors que la nuit est tombée sur Los Angeles, Darren Julien et son bras droit, Martin Nolan, sont heureux, la vente a été un succès, et nous nous séparons tous, chacun son sac en carton sous le bras. Nous savons que nous ne nous reverrons sans doute jamais, mais que nous sommes bizarrement liés par cet instant. Des êtres solitaires unis par la prêtresse de la solitude. Au fond, Derek Reisfield avait peut-être raison lorsqu'il me disait sa volonté d'offrir aux fans la possibilité d'acquérir quelque chose de la femme qu'ils aimaient, car eux seuls en prendraient le plus grand soin. Alors ils avaient partagé, avec nous, cette femme qu'ils avaient adorée, leur grand-tante qui faisait le clown pour les faire rire, cachait des trolls pour les amuser, et qui leur avait donné pour seul conseil, dans la vie, de savoir précisément ce qu'ils en attendaient, puis de mettre toute leur détermination à l'obtenir.

A peine arrivée dans ma chambre de l'hôtel Thompson à Beverly Hills, j'essaie le manteau de Greta Garbo. Après quelques minutes, la chaleur devient intenable. Je réalise que Garbo n'était pas du genre à acheter un manteau qui ne servait à rien : il lui fallait du fonctionnel, et un manteau se doit d'être chaud. Elle avait même pensé à ajouter une agrafe au col – on pouvait ainsi le boutonner plus haut –, et une bride et un petit bouton pour qu'on puisse le fermer plus bas, ce qui permettait de ne pas avoir froid aux jambes. Garbo était pratique, attentive à chaque détail, préoccupée, dans un vêtement, par son confort. Il ne sentait plus son parfum – elle portait Mitsouko de Guerlain –, volatilisé depuis longtemps, mais une étrange odeur de goudron. Je me promenais dans la chambre, me regardais dans les larges baies vitrées de la terrasse, les murs pavés de miroir de l'entrée, j'osais à peine le caresser, le toucher, de peur qu'il ne tombe en poussière comme frappé d'une étrange malédiction : ce manteau n'est pas le tien, tu n'as pas le droit de le porter. Mais le manteau résistait. Il avait traversé le temps, dormi deux longues décennies dans un entrepôt, réclamait aujourd'hui une seconde chance. Comme un génie libéré de son flacon, une âme jadis au purgatoire rendue enfin à la vie, une aura étrange finissait par en émaner. L'enfiler relevait de la cérémonie. Garbo l'avait touché, porté, gardé. Je le caressais à mon tour juste après elle, là où ses mains s'étaient posées. Mon corps avait pris la place du sien.

Il était là, dans la nuit, délicatement posé sur le dossier d'une chaise face à mon lit. A travers les doubles rideaux entrouverts, un rayon de lune éclairait la pièce, créant ces ombres chinoises que j'aimais tant, jusqu'au moment où la pièce était devenue plus lumineuse, comme éclairée de l'intérieur par une forme iridescente : le manteau irradiait, seule tache rouge dans le décor noir et blanc de la pièce, comme si le dossier de la chaise s'était imbibé de sang. J'allumai la lampe de chevet, me levai, le pris doucement dans mes bras comme on porte un enfant endormi pour l'installer sur le fauteuil à côté de mon lit, loin du rayon de lune, dans un coin de la chambre qui, si je me couchais sur le côté, échapperait à ma vue. Mais c'est comme s'il pulsait en silence : il était là, forme sombre alanguie sur un fauteuil, qui dégageait quelque chose de chaud, de vivant. Alors je me suis relevée, ai rallumé toutes les lampes, pris à nouveau ce corps étrange dans mes bras, parcouru la chambre à la recherche d'un endroit où je pourrais le poser le plus loin possible de mon lit, et puis je me suis vue dans les grands miroirs de l'entrée : une femme portant la dépouille sanguinolente d'une autre femme.

Je pensais m'offrir un objet rare, je venais d'acheter la peau de Greta Garbo, de la dépecer, à mon tour, pour une poignée de dollars. J'ai plié le manteau, l'ai rangé dans son fourreau de plastique, mis le plastique dans ma valise et enfermé la valise dans la salle de bains.

Le lendemain matin, je laissai le manteau ainsi rangé pour prendre l'avion, sans savoir ce que j'étais en train de ramener. Sans comprendre encore qu'il n'y a rien d'anodin à vouloir porter le manteau d'une morte.

« Dita Von Teese est passée visiter l'exposition », m'avait dit Martin Nolan quelques jours plus tôt. Elle avait repéré quelques robes, peut-être même allait-elle enchérir. Dans la salle, un homme avachi en jogging achète pour 30 000 dollars la plus belle des robes, celle en velours noir, orné des épaules aux poignets de sequins noirs. Elle date des années trente et ressemble aux costumes qu'Adrian créa pour Garbo dans *Mata Hari* (George Fitzmaurice, 1931), ces tuniques rebrodées de fils d'or et de paillettes, que Garbo porte avec des pantalons fuselés entièrement brodés de perles, ou avec des bottes de cosaque, plates, en veau-velours sombre. Je demande à l'homme pourquoi il a acheté cette robe et il répond que ce n'est pas pour lui, mais pour le compte d'une femme qui collectionne le vintage et ne souhaite pas révéler son identité.

Le soir même de mon retour de Los Angeles, je porte le manteau de Greta Garbo pour sortir dîner avec un ami. Nous sommes au Corso, place Franz-Liszt, en terrasse, et la terreur commence : j'interdis le vin rouge, trop tachant. J'évite les plats trop gras. J'éloigne les bougies sur une autre table. Une jeune fille passe, son sac heurte une bougie, la cire chaude atterrit sur... mon sac. A trois centimètres du manteau. La fille se confond en excuses, étonnée que je prenne l'incident avec autant de bonne humeur. Elle ne sait pas à quoi elle a échappé.

Dita Von Teese n'avait acheté qu'un portrait de Greta Garbo. Peut-être que les vêtements de l'icône n'étaient pas assez sexy pour celle qui avait choisi de ressembler à une pin-up. Vagues de cheveux noirs, rouge à lèvres écarlate, trait d'eye-liner et faux cils ; robes, tailleurs, souliers, tout chez elle faisait écho au glamour des années quarante et cinquante. Elle était la première célébrité à émerger ainsi « costumée » en une femme d'une autre ère, reproduisant un modèle de femme révolu, anachronique – dans la forme – mais contemporaine dans le fond, dans sa manière aussi explicite de prendre d'autres femmes pour modèles, de dupliquer d'autres corps avec son corps, et d'en faire un argument commercial. Elle disait, au fil des interviews qui lui posaient toutes la question de sa métamorphose, s'être inspirée des films qu'elle regardait, enfant, avec sa mère. Aujourd'hui, c'était elle qui inspirait les femmes via ses photos diffusées dans les magazines ou sur le Net. Car plus d'un siècle après l'invention de la photo et du cinéma, les modèles nous ensevelissaient : les médias et Internet nous offraient des centaines de prototypes, les actrices ou les mannequins étaient photographiées à l'envi dans la rue portant tel sac, arborant telle marque de jean, et parfois, elles portaient toutes le même, comme si la marque les leur offrait en masse. A l'heure du clonage, nous étions entrés dans l'ère de la duplication humaine à travers le vêtement. Si les inventions scientifiques accompagnent le désir le plus profond de l'humanité dans un temps donné, le clonage témoignerait bien de notre désir de nous dupliquer. La seule liberté que nous avions d'être nous-mêmes, c'était de décider de l'image glacée que nous prendrions pour modèle : la blonde qui porte un sac Chanel et sort avec tel acteur *bankable*, ou la brune qui porte des ballerines Marc Jacobs et vient de quitter son *boyfriend*, bassiste dans un groupe de rock.

Qu'avions-nous vécu ? N'aurions-nous été que des fantômes à la recherche éperdue de nous-mêmes dans un petit théâtre d'ombres que nous avions pris pour la vie ? Nous allions vieillir et nous effondrer de tristesse. Nous regarderions par-dessus notre épaule et il n'y aurait rien. Rien d'autre que des soupçons d'amours, des gestes inachevés, des hypothèses d'existences, rien d'aussi tangible que ces robes pendues comme des corps misérables dans nos armoires trop pleines.

Le 24 décembre 2012, dans les rues de Paris, je bois un chocolat chaud à la paille sous les arcades qui longent les Tuileries. Je traverse les jardins du Palais-Royal, je me regarde dans toutes les vitrines et j'y vois une femme altière en grand manteau rouge, le dos formant comme une cape, le col relevé comme naguère les collerettes des reines – j'ai, à chaque minute, conscience que je porte le manteau de Greta Garbo, et qu'il est trop souverain pour moi. C'est Noël, Paris est désert et je suis seule. Le soir, j'ouvre une bouteille de champagne, j'enfile le manteau par-dessus mon pyjama, je m'y enveloppe. Il est doux, doublé, chaud, épais. Garbo, qui fut trahie par presque tous ses amis, tous ses amants, avait peu à peu appris à se protéger. Elle savait comment éviter les importuns, les opportunistes, les curieux, les photographes, les journalistes, les traîtres, la fausseté de ceux qui mélangent l'affection avec le social et vous manipulent. Son manteau n'a plus rien d'une peau morte, c'est la gangue de protection dont elle avait fini par s'envelopper pour adoucir une vie trop brutalement exposée. Le porter me donne l'impression que ni le froid ni les autres ne peuvent plus m'atteindre, que plus rien de mal ne peut m'arriver. Une autre femme, bienveillante, vient de me transmettre son meilleur bien : le système de protection qu'elle a érigé pour elle-même.

Du moins c'est que je croyais. Du moins est-ce ce que j'avais besoin de croire. J'étais seule à Noël. Je vivais un chagrin d'amour. Comment écrire une phrase pareille, quand le terme même de « chagrin d'amour » sonne si terriblement kitsch ? Comment avouer un chagrin à une époque de « gagnants », une époque narcissique, où l'on se doit de réussir, même en amour ? Tout le monde mentait et se mentait, pressé de faire sa propre propagande, comme s'il était à vendre, comme s'il se devait d'être acheté. Je croyais que le manteau de Garbo me protégerait, qu'il ferait écran, barrage contre la douleur – or le manteau d'une morte est comme un fantôme, et comme tout fantôme, il réveille les autres morts et les attire à lui. Je me reservais du champagne en me croyant seule, sans voir les fantômes affluer autour de moi. Parmi eux, une petite fille. Je ne la vois pas encore, car l'au-delà ne se manifeste que lorsqu'on le frôle, lorsque le souffle, le désir de vivre qui nous animent ne tiennent

94

soudain plus à rien, ou à si peu. Elle a dû mourir très tôt, à six ou sept ans, me dirai-je quand je parviendrai enfin à la voir.

La chambre bleue du Cadogan, quelques jours plus tard. J'y suis revenue dans une sorte de pèlerinage malheureux, comme on pratique un exorcisme, parce que je ne m'en sors pas, parce qu'il est plus facile d'oublier une liaison pleinement vécue qu'une utopie, parce qu'il est douloureux de faire le deuil d'un rêve : on met une part immense de soi dans son rêve, on le façonne de sa chair, de son sang, alors le porter au tombeau, c'est ensevelir dans un même mouvement tout ce qui nous constitue au plus intime, une étincelle de vie qui, si on accepte de l'éteindre en l'enterrant, ne laisse de notre être qu'une enveloppe vide prête à s'effondrer. J'erre au milieu de la nuit dans les couloirs déserts de l'hôtel, je le cherche dans ses recoins les plus sombres, avec l'espoir de voir apparaître ses yeux brillants dans la nuit, rêvant qu'il reviendrait, lui aussi, hanter la scène désertée d'une illusion vécue à deux.

Parce que ça n'avait pas duré. Les utopies ne sont pas toujours empêchées par quelque système oppressif, par un événement extérieur à ceux qui les fomentent. Le plus souvent, elles ne durent ni ne se réalisent parce que ceux-là mêmes qui les ont imaginées aspirent tôt ou tard à la normalité – lorsque le besoin de confort, de sécurité devient le plus fort, alors l'utopie s'évapore, se change en tradition ou disparaît, dérisoire, fugace. Il ne veut plus de nos rendez-vous à l'hôtel, mais propose de me retrouver chez moi. L'été approche, et je demande plus de temps, quelques jours ensemble. Nous exigeons, l'un et l'autre, des gages d'assurance, mais pas les mêmes ; chacun de nous va vouloir quitter cet état de grâce suspendue, cette étrange relation hors de toute contingence, chacun de nous, à sa façon, demande à l'autre de l'inscrire davantage dans sa vie. Mais je me sens devenir encombrante. Alors l'habituel petit rapport de forces, les querelles et les malentendus, la confiance qui vacille. C'est fini. Les utopies meurent souvent ainsi, bêtement. Et chacun de nous retourne à sa place, dans son petit cadre qu'il ne parviendra jamais à quitter.

Il y a des images de Garbo qui me font mal. Cinquante-trois secondes, sans doute extraites d'un documentaire, où on la voit au naturel, sur un bateau, ses cheveux blonds balayés par le vent, en manteau d'homme au col relevé, une écharpe, une élégance à mille lieues des paroles en voix off, certainement extraites des mémoires de Mercedes de Acosta : « Expliquer mes sentiments pour Greta est impossible. Je ne me comprends pas moi-même. Mon esprit perçoit la véritable personne. Une servante suédoise, au visage touché par le doigt de Dieu, obnubilée par l'argent, sa santé, le sexe, la nourriture et le sommeil. Mais son visage floue mon esprit. Je l'aime. Mais j'aime la personne que j'ai créée, pas la personne qu'elle est en réalité. » Ce que dit de Acosta, et qui me fait mal, c'est qu'elle ne comprend pas comment elle, issue d'une riche famille d'aristocrates espagnols, a pu s'abaisser à aimer une « servante suédoise » qui, comme tous les pauvres, ne s'intéresse qu'à des sujets médiocres, et dont le vrai visage, derrière le masque de cinéma, est forcément vulgaire.

« C'est donc ainsi que les hommes comme vous traitent les femmes comme moi, ils s'en servent puis les jettent, réservant leurs égards aux femmes titrées, friquées... » Mais était-ce si simple ? J'efface ce message sans le lui envoyer. Je viens de tomber sur une photo d'eux, lors d'un dîner de charité. Le visage de la femme qui l'accompagne m'intrigue, ou plutôt son absence de visage : elle porte un masque de fer. Ce qui me blesse, c'est la légende : « Madame de... possède 789 432 robes haute couture. »

Dita Von Teese est née dans le Michigan, d'une mère manucure et d'un père machiniste. Elle est blonde et s'appelle Heather Renée Sweet. Sa vie raconte l'histoire d'une réinvention, érige l'artifice comme arme de réussite esthétique et économique. Au fond, son histoire ressemble à toutes les histoires de travestis ou de transsexuelles : elle ne se sentait pas coïncider avec son corps. Très jeune, Heather comprend qu'elle ne correspond pas à l'image de la petite blonde américaine banale que son miroir lui renvoie. Elle n'a pas d'argent pour s'acheter des vêtements de marque alors elle fait les puces et les magasins de fripes – c'est un temps où le mot « vintage » ne s'est pas encore imposé pour faire flamber les prix, et où les vêtements anciens ne coûtent rien. Vingt ans plus tard, elle continue à collectionner les vêtements d'un autre temps. C'est ainsi qu'est né son style rétro, en plus d'un passage dans le punk rock où chacun bricole son style, fait de récup' des décennies précédentes. Elle devient ainsi elle-même, un être à part dans le paysage de la mode, la seule à rester fidèle, même si elle revêt aujourd'hui, parfois, des vêtements de créateurs, à un certain esprit de rébellion : ce que la société veut te vendre à des prix exorbitants, fais-le toi-même – « I'm a do-it-yourself girl », clame celle qui n'a pas eu besoin d'un Pygmalion et s'est créée elle-même, sans jamais avoir recours, contrairement aux autres stars, à un entourage de stylistes, maquilleurs et coiffeurs. Elle a tellement bien compris ce pouvoir du vêtement dans l'art de se transformer en une autre qu'elle-même pour mieux se réinventer ailleurs, qu'elle a récemment lancé sa propre ligne de vêtements qui dupliquent certaines pièces vintage de sa garde-robe. Robe fourreau en jersey noir, robe années cinquante en chiffon noir, robe en velours ultradécolletée. Elle sait, pour avoir voulu se métamorphoser, pour s'être construite en empruntant l'image d'une autre, où réside le désir des femmes : s'approprier sa garde-robe, devenir elle, Dita. Pure invention d'elle-même. Preuve vivante qu'on n'est assignée à aucune place sociale, aucune norme, aucune injonction. Elle a retourné le système à son avantage : en devenant une autre, elle vend sa réussite à travers une multitude de produits dérivés – robes, lingerie, parfum, etc. Incarnation d'un conte de fées contemporain : pour devenir célèbre, aimée, deviens une autre. Tu veux être Dita Von Teese ? Achète une des reliques de son style.

Un après-midi ensoleillé de septembre 2011, elle s'installe à la terrasse de Carette, un restaurant place des

Vosges où je suis en train de déjeuner avec une amie. Elle est avec son petit ami du moment, et ce qui m'étonne, ce qui me réjouit pour tout dire, c'est qu'elle *est* elle-même : peau irréellement blanche et rouge à lèvres carmin, chevelure noire ramassée en chignon, lunettes noires vintage et ongles rouges. Elle porte un chemisier en mousseline noire criblé de petits pois blancs, une jupe crayon en flanelle grise qui s'achève sous le genou, des ballerines pointues rebrodées de passementerie noire. Dita Von Teese est Dita Von Teese en permanence, tous les jours, parce que la vie est son théâtre où, comme elle le dit sur son site, « I advocate glamour. Every day. Every minute ». A la fin du déjeuner, elle sort un poudrier Guerlain et se remet du rouge à lèvres en appliquant à sa suite – et non au préalable comme on nous l'a appris – un trait de crayon à lèvres tout autour de sa bouche maquillée. Le lendemain, j'entre chez Guerlain.

En juillet 2012, je la croise au bar du Ritz, vide en plein été. Elle est en robe noire Roland Mouret, elle tient entre ses ongles rouges un cocktail rose qu'elle porte délicatement à ses lèvres, comme le ferait toute star de cinéma dans tout film hollywoodien – comme elle le fait elle-même lorsqu'elle est filmée pour la marque d'alcool Cointreau dont elle est l'« ambassadrice ». Elle sourit à Christian Louboutin, qui la chausse sur scène et dans la vie. Il se dégage d'elle une étrange aura, comme si elle avait trouvé la paix. Le genre de sérénité et d'assurance que l'on éprouve à se sentir enfin soi-même, à la juste place, au moment exact.

Je pousse la porte du magasin Decades sur Melrose à Los Angeles. Son propriétaire, Cameron Silver, devenu aussi célèbre que les starlettes qui viennent se fournir dans sa boutique, est présent, 1,90 mètre couronné de cheveux argentés qui rit fort, parle fort, vanne fort, à croire que le mot *camp* a été inventé pour lui. Je découvre que j'ai honte, impression d'être une de ces petites fans prêtes à tout pour ressembler à une célébrité. Je passerai une heure dans l'étroite cabine à essayer le trench corolle, la « second look dress » qui épouse mon corps comme une seconde peau, le fourreau de velours au décolleté hyper échancré, la robe plissée en chiffon noir années cinquante, le trench transparent en tulle. J'hésite entre le trench corolle et la « second look dress », pourtant je repartirai sans rien. C'est comme une sensation diffuse de ne pas être « moi » quand je les porte, mais d'être déguisée. Est-ce parce que les photos de Dita Von Teese portant ces vêtements sont diffusées sur Internet, visibles par tous ? Si j'achète la robe, même la plus sobre, si je la porte, même différemment, certains vont-ils la reconnaître ? Et en reconnaissant le masque, vont-ils me démasquer ?

« Connaissez-vous l'histoire de cet homme qui alla consulter un psychiatre parce qu'il se sentait déprimé ? Le docteur parla un peu avec son patient puis lui fit une suggestion : "Il vous faut rire un bon coup de temps en temps. Il y a en ce moment en ville un cirque dont le clown est très drôle. Vous devriez y aller un soir." "Je ne peux pas, lui répond l'homme, le clown, c'est moi…" » Greta Garbo adorait raconter cette histoire à ses amis, oubliant, ou n'oubliant peut-être pas, qu'il lui arrivait de signer ses lettres « The Clown ».

Garbo fut la seule à refuser l'invitation de Truman Capote au bal masqué qu'il organisa au Plaza en 1966. Elle ne le savait que trop bien : elle n'était invitée que pour ce masque qu'elle portait déjà depuis trop longtemps et qui lui avait dévoré le visage, ce masque de celluloïd qui lui collait encore à la peau après avoir déserté les studios, et dont elle n'était jamais parvenue à se défaire, qui l'avait empêchée de vivre, d'être enfin elle-même, prise et aimée pour elle-même. Le bal masqué en noir et blanc que Capote donna le 28 novembre 1966 ressemblait à un échiquier monstrueux, fait de pièces vivantes, métaphore d'un jeu social qui finit par le tuer à petit feu : des pions noirs, des pions blancs, et parmi eux un Fou qui se prit un soir pour le Roi sans comprendre qu'il y signait son arrêt de mort. Enfant du Sud mal aimé par sa mère, une belle qui passait d'un homme à l'autre, il avait cru au mirage social de son ascension, sans voir que les Cygnes qu'il fréquentait, ces *socialites* insouciantes car richissimes dont la vie entière consistait à paraître grâce au tour de magie de garde-robes de luxe, seraient les signes de sa chute. Avec le succès de *De sang-froid*, le petit homme que l'*upper class* transforma en bouffon fut soudain considéré comme l'un des plus grands écrivains américains. Après son bal, tout bascula. « L'effet le plus durable de ce bal se joua sur la réputation de Truman Capote », écrit Nicholas Foulke (*Bals*). « Avant 22 heures le 28 novembre 1966, il était un grand écrivain américain qui était aussi un

101

mondain ; après, il devint un grand mondain américain qui avait aussi un peu écrit. Et pour beaucoup, ce fut cette promesse non tenue en tant qu'écrivain qui fut la vraie conséquence de ce bal. »

Après, il n'écrivit presque plus. Quelques fragments où en véritable écrivain, il trahissait ses Cygnes en balançant leurs secrets les plus inavouables, soi-disant camouflés sous les masques de la fiction. Paru dans *Esquire*, le premier chapitre (il n'en rédigea que trois), « La Côte Basque », du nom du restaurant chic de Manhattan où ces *ladies who lunch* se retrouvaient, représente un ultime geste de survie de celui qui s'affirme, contre cette mondanité qui est en train de le divertir dangereusement de l'écriture, comme un écrivain dont le but ultime, à les fréquenter, aurait été de les observer pour en tirer ce qu'il annonçait comme son grand roman proustien. Les Cygnes le bannirent, la haute société le rejeta, et Babe Paley, qu'il adorait, l'abandonna, comme cette femme qu'il avait adorée avant elle et qui le considéra toute sa vie comme un déchet : sa propre mère. Capote ne s'en remit jamais. Alors il y eut l'alcool et la cocaïne, les nuits au Studio 54 avec la bande à Warhol, et puis la mort. Et après sa mort, il y eut pire que la mort : on ne retrouva rien des pages qu'il avait prétendu écrire en secret.

La mondanité tua-t-elle Capote malgré lui, ou l'homme s'en servit-il comme d'une arme pour accomplir un très lent suicide ? Si le glamour comprenait une part de risque, c'était de le confondre avec la vie, et de passer dès lors complètement à côté. Autour des dangers du glamour, il avait déjà écrit *Breakfast at Tiffany's*, court roman qui se retrouva vite dévoré par le film éponyme de Blake Edwards, puis négligé au rayon « frivolité » après la sortie de son chef-d'œuvre, *De sang-froid*. Si le film d'Edwards se concentre sur l'histoire d'amour entre le protagoniste, écrivain, et l'héroïne, Holly Golightly, *escort girl* sur fond de Manhattan idéalisé, il ne trahit en rien l'enjeu du roman : l'histoire d'une réinvention personnelle qui passe par le style pour atteindre ce que l'héroïne imagine être une vie meilleure. Il était une fois une orpheline qui s'était mariée à quatorze ans à la campagne avec un fermier plus âgé qu'elle, pour se sauver de la misère. Elle s'appelait alors Lulamae. Et puis elle avait fui. Elle avait débarqué à New York comme des milliers de jeunes filles, un rêve en tête : y arriver – devenir mannequin, actrice, se faire repérer par un bon parti, puis l'épouser. A Manhattan, elle avait changé d'identité, rompu avec sa famille, tenté d'oublier ses racines, acquis une nouvelle garde-robe sophistiquée, se parant de tous les atours de la New-Yorkaise chic pour fréquenter la café society et jeter son dévolu sur un millionnaire. Les hommes sortaient avec elle mais ne l'épousaient pas. Pute elle était, et pute elle allait finir, courant après le mirage d'une intégration sociale qu'elle n'atteindrait jamais. Ses robes formèrent un masque qui l'aida pourtant un temps à devenir une autre qu'elle-même, cette autre qu'elle avait rêvé de devenir lors de ses longues nuits à la ferme auprès d'un mari qu'elle n'aimait pas, mais ses robes devinrent aussi, paradoxalement, un frein pour vivre – un rêve éperdu de glamour la condamnant à passer sa vie à ne rechercher que cela, l'argent pour se le procurer, l'exacerber, au risque de rater l'essentiel, la vérité des sentiments. Sous ses grands chapeaux, derrière ses lunettes noires, elle met en scène l'amnésie traumatique inhérente à tous ceux qui veulent, un jour, se réinventer : oblitérer ses origines, changer de nom comme on change de style, semer les cadavres sur sa route sans se retourner. La question que pose *Breakfast at Tiffany's* est bien plus profonde que ce que l'on a bien voulu y voir : de quoi faut-il s'amputer, quand on est issu d'origine modeste, pour changer de classe sociale ? Et se faire croire qu'on vit, enfin, dans un rêve... Quel prix à payer ?

Quel prix à payer pour l'écriture de *De sang-froid* ? Capote avait fréquenté les deux tueurs de la famille Clutter en prison, et il était tombé amoureux de l'un d'eux, Perry Smith, le plus fragile, le plus torturé, le jumeau qu'il s'était découvert comme s'il avait contemplé son reflet inversé dans un miroir – un enfant, comme lui, abandonné et solitaire. Il avait attendu son exécution afin d'écrire le dernier chapitre de son roman et le publier : alors il avait assisté à sa pendaison, il en avait pleuré, il ne s'en était, peut-être, jamais remis. Alors le luxe des garde-robes de ses amies, de leurs vastes demeures de patriciennes sur la 5ᵉ Avenue, les yachts et les propriétés à Long Island de leurs maris, le Dom Pérignon qui coule à flots et les rires qui résonnent mal dans la nuit servirent un temps d'échappatoire à cet homme confronté à la mort de son double, qui ne put, enfin, connaître le succès, la fortune, la célébrité, en somme tout le vernis glamour d'une existence, qu'au prix de sa propre mort devenue spectacle à travers le corps d'un autre. Et tout le glamour qu'il avait recherché ne deviendrait qu'un mensonge dont on use comme d'un paravent luxueux pour masquer la pauvreté du décor, un baume parfumé sur une plaie. La mondanité fut une distraction, une tentative d'exorcisme, un masque utilisé pour camoufler l'horreur de la vie, dissimuler sa tragédie insoutenable : on ne s'en sortait jamais. On restait, comme Perry Smith, condamné à son milieu, ou à ses origines, à son enfance, à être celui qui, s'il a échoué enfant, échouera toujours, celui que la société rattrape sans cesse et punit d'avoir cherché à devenir un autre que lui-même.

La soirée était chaude, proche de l'été, et je portais une mince et fraîche robe noire. « Je viens de voir, de vous, un autre visage. Pas sûr de l'aimer », c'est le message que m'envoie l'homme que j'aime. Et je me désintègre. Ne reste plus qu'une robe vide sur un trottoir désert. Il préfère les masques. Il n'aime que la robe. Alors elle gagne contre moi.

« La soirée était chaude, proche de l'été, et elle portait une mince et fraîche robe noire, des sandales noires, un collier de chien en perles », écrit Truman Capote dans *Breakfast at Tiffany's*. Plus tard, il dira qu'il a voulu habiller son héroïne de noir, parce que le noir serait comme un écrin qui la ferait briller davantage. Dans le rapport de forces qu'il établit implicitement entre la femme et le vêtement, Capote se range du côté de la femme : c'est elle qui sera visible, non la robe ; la robe ne sera qu'un outil pour la mettre en valeur, non l'inverse ; la robe sera forcément éclipsée par la femme.

Depuis 1957 et *Funny Face*, Audrey Hepburn impose une clause inédite à tous ses contrats : que sa garde-robe soit créée par Hubert de Givenchy. Sur le tournage de *Breakfast*, la très puissante Edith Head est reléguée au rôle de « superviseur des costumes ». Diplomate, elle s'écrase. Il faut dire qu'elle a déjà perdu la partie face à la jeune star et au couturier parisien quelques années auparavant, sur le tournage de *Sabrina* (1954). C'est pour ce film qu'Hepburn sollicitera Givenchy une première fois. A Hollywood, les metteurs en scène, soumis au contrôle et à la censure du code Hays, comprirent vite que le costume ne rimait pas seulement avec rêve mais avec SEXE. Dès les années vingt, les producteurs en eurent assez des robes droites de la mode garçonne, qui gommaient le sex-appeal des femmes en effaçant leurs formes, et inventèrent la mode des années trente, où hanches, taille, seins étaient soulignés. C'est à ce moment-là que le jeune Adrian est engagé par la MGM pour inventer une femme sexy, ce qu'il exécutera avec zèle en parant la bombe Mae West de robes coupées en biais dans du satin blanc, telles des secondes peaux cousues à même son corps. Comment signifier que Sabrina, fille de chauffeur, revient de son séjour parisien déniaisée sexuellement – que la chrysalide est devenue papillon ? Billy Wilder avait été à l'école Lubitsch, ce maître du détail, et avait appris en écrivant le scénario de *Ninotchka* que le cinéma, c'est exprimer par l'image ce qui échappe au scénario :

tout un art de l'apparence. Quand il s'agira de montrer que Greta Garbo, qui joue la Soviétique Ninotchka, abandonne ses idéaux communistes pour la frivolité de l'Ouest et l'amour, Lubitsch la met en scène se coiffant du chapeau (en forme d'entonnoir, imaginé par Garbo elle-même) qu'elle avait d'abord jugé « décadent », symbole d'une société en chute libre, en le découvrant dans une vitrine de son grand hôtel à peine arrivée en France. Alors que Wilder cherchait une idée pour montrer le passage de Ninotchka aux valeurs occidentales, Lubistch s'était écrié : « Le chapeau ! » Et ils inventent la scène où Garbo ouvre un tiroir, en sort le chapeau, le met sur la tête, et va rejoindre Melvyn Douglas pour un rendez-vous amoureux. Alors, quand Wilder aura besoin de contourner la censure pour montrer que Sabrina n'est plus vierge, il choisit d'incarner la nouvelle maturité sexuelle de son héroïne à travers une garde-robe d'un chic extrême, celle d'une femme sophistiquée, donc forcément créée par un couturier parisien. Wilder envoie alors Hepburn faire son shopping à Paris. Elle jette son dévolu sur le jeune Givenchy, qui refuse d'abord de la recevoir, déçu qu'il ne s'agisse pas de l'autre Hepburn, Katharine. Mais il la trouve gracieuse, et la laissera puiser dans sa précédente collection. Lors d'une scène de flirt avec l'héritier Humphrey Bogart, qui tourne à son désavantage, la jeune fille comprend qu'un homme comme lui n'aimera jamais une fille comme elle, fille de domestique, et qu'au lieu de la demander en mariage, il est en train de la congédier en lui offrant un aller simple sur un paquebot pour Paris, et une somme importante pour qu'elle y reste. Pour cette scène, Givenchy l'habille pour la première fois d'une petite robe noire. Et Bogart décide de la faire disparaître.

Dita Von Teese s'habillait en noir. Pourquoi, généralement, s'habille-t-on en noir ? Comme pour Holly Golightly, ultrachic en fourreau sombre, le noir serait une façon de gommer ses origines modestes – un passeport pour changer de classe sociale ? J'ouvre mes armoires : il n'y a que des vêtements noirs.

« Il y a des siècles de cela, seuls les gens richissimes pouvaient s'offrir de la teinture noire. Au XVIIe siècle, les classes favorisées abandonnèrent les teintes sombres au profit de la couleur. Et, à l'ère victorienne d'où nous vient notre conception du noir, il était presque exclusivement réservé aux vêtements de deuil. Dans son association avec la mort, le noir s'imposait logiquement alors que, en matière de séduction, c'est la couleur, traditionnellement associée à la féminité, qui s'est toujours révélée une aide précieuse. Plus la femme attire le regard, mieux elle pourra prendre l'homme dans ses filets. Par conséquent, celles qui n'en portent pas, les femmes tout de noir vêtues, par exemple, peuvent passer inaperçues. Là où l'arc-en-ciel est remarquable, les couleurs sombres, masculines par contraste, permettent de se camoufler et d'observer sans être vu. Quelqu'un qui n'a pas besoin d'attirer l'attention privilégie les couleurs sombres. Quelqu'un qui se suffit à lui-même, quelqu'un de plus distant, que l'on connaît moins bien et qui s'avère donc plus mystérieux. Plus puissant aussi. »
Sam Wasson, *5e Avenue, 5 heures du matin.*

Le noir était la teinte de ceux qui détenaient l'autorité, le pouvoir, mais paradoxalement aussi, celle des vêtements des domestiques, de ceux qui doivent s'effacer, passer en second – des invisibles. Ceux qui sont en pleine déchéance sociale (*L'Homme invisible*), mais aussi les exclus, les marginaux (Musidora dans *Les Vampires*). Ceux qui tentent de le cacher. De passer inaperçus. De disparaître aux yeux du monde – un monde qui pourrait percevoir avec effroi la honte dans leurs yeux.

« Le voile noir était là, drapé sur le front de Mr. Hooper, masquant son visage au-dessus d'une bouche à l'expression sereine, et sur laquelle de temps à autre ils voyaient flotter l'ombre d'un mélancolique sourire. Mais leur imagination assurait que c'était son cœur que masquait tel un rideau ce morceau de crêpe, symbole d'un effroyable secret qui le séparait d'autrui. S'il écartait seulement le voile, il deviendrait loisible d'en parler, mais sans cela c'était chose impossible. Ils demeurèrent donc ainsi, fort longtemps, muets et troublés, fuyant avec angoisse l'œil de Mr. Hooper, qui semblait les fixer de son regard invisible. »
Nathaniel Hawthorne, *Le Voile noir du pasteur*.

Je craignais son regard comme la Bête dans *La Belle et la Bête* de Jean Cocteau, qui se met à se consumer sous le regard de la Belle le découvrant pour la première fois tel qu'il est vraiment : un animal, se vautrant dans la fange et dans le sang, un non-humain. Un inférieur. La fumée s'élève de ses épaules, de ses mains ensanglantées qu'il regarde avec frayeur : « Votre regard me brûle, la Belle... Votre regard me brûle. »

A partir de quand Holly Golightly comprend-elle qu'elle va se heurter à un plafond de verre, qu'elle n'ira jamais plus loin que sa garde-robe ? A la fin du film, elle ne peut épouser qu'un déclassé, un écrivain qui, comme elle, n'a peut-être pas d'argent mais possède le luxe de rejouer sans cesse le réel à sa convenance. Les grandes fortunes qu'elle tente d'épouser la rejettent car malgré son apparence élégante, elle n'est jamais conforme. Dans le livre, elle s'en va, elle quitte New York. Truman Capote détestait le film, n'en parlant que comme d'une vulgaire comédie sentimentale, alors que l'enjeu de son roman n'était pas sentimental mais portait sur la liberté – de l'entre-deux états, ce moment flottant de l'existence, le refus des définitions, d'une fixation de l'identité, où l'on échappe à toute catégorie, à toute classe, alors que le piège peut se refermer sur soi à chaque instant. Il avait créé Holly pour exorciser la vie de son amie milliardaire Babe Paley, coincée dans un mariage avec un homme qui l'avait séparée de ses enfants, qui la trompait publiquement, et ne lui avait laissé que sa somptueuse garde-robe comme paravent à son chagrin, et pour seule échappatoire pathétique : devenir la femme la mieux habillée des Etats-Unis. Capote voulait son amie Marilyn Monroe dans le rôle de Holly Golightly, car comme l'héroïne du roman, Monroe n'appartenait à rien ni à personne, s'était réinventée toute seule, n'avait jamais eu besoin d'un Pygmalion. Elle se suicide aux barbituriques à trente-six ans.

Son père l'avait abandonnée quand elle avait un an, sa mère était devenue folle et l'avait confiée à une tante qui l'avait confiée à l'orphelinat qui la prête, contre quelques dollars, comme petite domestique dans une pension où elle se fait violer. Quelques années plus tard, elle entre au Chinese Theatre de Hollywood et découvre Jean Harlow sur grand écran. Son désir, enfin, se fixe sur cette image. Les pièces d'un puzzle jusque-là dynamité, elle sait enfin dans quel ordre les rassembler. Le cinéma devient ce miroir où elle se voit, pour la première fois, incarnée.

« Hubert de Givenchy reçut le script d'Axelrod au cours de l'été 1960. Page 1, il lut : La portière du taxi s'ouvre et une fille en descend. Elle est vêtue d'une robe de soirée décolletée dans le dos et porte, en plus de son sac à main, un sac en papier brun. » (Sam Wasson)
Apparition bizarre, incongrue : une fille en robe longue le matin, en habits de luxe mais qui débarque en taxi, qui porte des lunettes de soleil avec une robe du soir, mange un croissant sans craindre de tacher la soie de ses longs gants, arbore des bijoux voyants mais se tient en dehors de Tiffany's, une fille ultrachic pour qui les magasins de luxe resteront, à jamais, fermés. D'emblée, le film montre, par ces signes, qu'elle est inadéquate, que l'ascension lui est interdite. La première scène du film d'Edwards contient sa condamnation, délivre son propre piège.

Les flappers des années vingt, ces femmes qui s'émancipent, récupèrent le noir, alors réservé au deuil ; en 1926, Chanel invente la petite robe noire, son succès sera démocratique : même les filles défavorisées peuvent être chic. Plus besoin de posséder plusieurs robes : une seule, noire, suffit, et il n'y a plus qu'à changer d'accessoires pour la rendre différente. Grâce à ses robes noires Givenchy, Holly incarne le signe d'un décloisonnement des classes sociales, d'une démocratisation du luxe. Le noir impose Holly en personnage révolutionnaire dans un temps où « avec la résurgence de l'idéal domestique dans l'Amérique des années 50, la couleur redevint l'emblème de la féminité. (…) Laissons Jane Wyman et Doris Day s'amuser avec le rose, le bleu, les motifs floraux. Qu'elles soient décoratives puisque c'est le rôle qu'elles sont censées tenir » (Sam Wasson). Pas Audrey-Holly, qui s'impose en sujet à part entière : elle mène une vie sexuelle libre, hors mariage, et s'assume financièrement. Le film eut une influence sur les garde-robes de toutes les jeunes filles, et fit basculer les années cinquante dans la décennie du changement. On était en 1961. Quelques années plus tard, mai 68 éclatait, la révolution sexuelle était en marche, le monde basculait et la jeunesse prit le pouvoir.

Le dernier grand bal masqué, dans la tradition de ceux qui l'avaient précédé, eut lieu peu après, en 1971, mais ce n'était plus pareil. Le monde avait changé, mais Guy et Marie-Hélène de Rothschild avaient décidé de donner un grand bal dans la tradition de ceux d'Etienne de Beaumont, Charles de Beistegui ou Alexis de Redé. Le bal des têtes, le bal oriental, le bal des jeux… Assez ironiquement, ils choisirent pour thème la *Recherche du temps perdu* : Proust y pointait les jeux de masques et le vernis social et les pouvoirs de l'apparence, y flinguait les aristocrates en autopsiant une société où tout commençait à se dérégler. Mais Proust, pour eux, en 1971, ne représentait que le glamour d'une époque aux fastes défunts, les éventails en plumes d'autruches, les sautoirs en perles de jais, les parfums capiteux, la poudre de riz aux effluves trop sucrés. Cinquante ans auparavant, en 1921, Proust fut l'invité d'honneur du bal de fin d'année d'Etienne de Beaumont. Il s'empressa d'accepter, tout en imposant des conditions maniaques, dont celle qu'il y eut de l'infusion aux fruits. Il envoyait des lettres chaque jour avant le bal pour s'assurer que son infusion aux fruits serait prête lorsqu'il arriverait. Juste avant le bal, il fit lui-même porter de l'infusion, puis envoya Céleste la lui préparer. Et dès qu'il pénétra chez Etienne de Beaumont, il exigea qu'on lui serve son infusion aux fruits. Quand Beaumont ne l'invita pas à son bal suivant, excédé par ses histoires d'infusion aux fruits, Proust en souffrit terriblement. Il mourut quelques mois plus tard, se sentant, une fois de plus, exclu de cette classe qu'il avait vénérée puis empaillée dans ses livres pour mieux la neutraliser, sans comprendre pourquoi Beaumont ne l'avait pas invité.

En 1971, il était devenu un mythe pour toute cette aristocratie. Sauf qu'aucun d'eux ne l'avait lu. Marie-Hélène de Rothschild avait demandé au baron Alexis de Redé de lui donner des cours accélérés de la *Recherche*. Près d'un demi-siècle après sa mort, à ce grand bal qui fêtait Proust, les Verdurin étaient partout, dissimulés sous les masques de Swann, de la duchesse de Guermantes et du baron de Charlus.

Le 2 décembre 1971, le château de Ferrières fut transformé en gigantesque jardin d'hiver, où l'on respirait le parfum de centaines d'orchidées mauves. Elizabeth Taylor, accompagnée de Richard Burton, portait une robe de dentelle noire et son plus gros diamant ; Marisa Berenson, costumée en Marchesa Casati, était coiffée d'immenses aigrettes ; Marie-Hélène de Rothschild était en robe de satin blanc signée Yves Saint Laurent ; la comtesse Jacqueline de Ribes, en robe brodée à bretelles nouées ; Hélène Rochas portait une robe de velours noir ornée de roses blanches. Et Cecil Beaton, déguisé en Nadar, les immortalisa tous, comme il l'avait souvent fait des protagonistes des grands bals précédents. Et puis les bals ont disparu. Dans ses mémoires, Guy de Rothschild évoque leur extinction : « Une ère entière s'évanouit quand une nouvelle apparaissait, et un certain art de vivre disparut en même temps. Une impression d'inévitabilité... L'homme est capable d'inventions merveilleuses, mais il oublie parfois de leur insuffler de la vie. Les expériences ont montré que les gens peuvent perdre la tête s'ils sont empêchés de rêver ; prolonger l'expérience peut même mener à la mort. Les sociétés meurent elles aussi, on le sait. Serait-ce parce que leurs rêves leur ont été enlevés ? On n'a jamais autant parlé de fêtes que depuis qu'il n'y en a plus. »

Les rêves ne nous ont pas été enlevés, ils se sont déplacés. Ces grands bals masqués, que l'on pourrait juger décadents aujourd'hui de par leur faste, l'obscénité des sommes dépensées en décoration, fleurs, champagne, costumes, parures, musique, et tout cela pour une production aussi éphémère (alors que le monde va mal, des gens meurent de faim, etc.), avaient une qualité : celle de dévoiler l'importance tout humaine, terriblement, intrinsèquement humaine, du besoin de se masquer, de se rêver en un autre et de s'y incarner dans un temps et un lieu donnés, révélant par là même l'essence de l'être comme désirant vivre un instant dans la peau d'un autre, jouissant d'être cet autre. L'autre dimension importante du bal masqué était de circonscrire ce geste-là, cette jouissance-là, dans un temps précis, de circonscrire notre besoin de porter un masque dans les limites d'une seule soirée, et d'un jeu. Et de désigner cette jouissance comme éphémère, en montrant que l'éphémère avait aussi une importance.

L'aristocratie existe toujours, les grandes fortunes aussi, et pourtant les grands bals ont disparu – pas le plaisir ni la nécessité de se déguiser. Le port du masque ne s'est donc plus limité à une seule soirée, festive, mais s'est déplacé partout, et tout le temps, dans la société.

Le premier grand bal masqué fut donné le 19 juin 1911 par un couturier, Paul Poiret, dans son hôtel particulier de la rue Saint-Honoré. Il s'intitulait le bal de « La Mille et Deuxième Nuit ». Le tout dernier fut encore donné par un couturier : Karl Lagerfeld organise un bal vénitien au Palace en 1978, où dansent 4 500 personnes : « A l'époque, les soirées n'étaient ni sponsorisées, ni une bonne œuvre, payait qui pouvait payer, donc ma fameuse fête vénitienne, où Garouste avait fait le décor, je l'ai payée moi-même. Je me souviens, à l'époque, ça paraissait énorme, je l'avais payée 200 000 francs. » Il avait long-temps vécu à l'hôtel Pozzo di Borgo, un hôtel particulier de la rue de l'Université. Trente-deux ans plus tard, en 2010, alors qu'il n'y vit plus, c'est dans cet hôtel qu'aura lieu l'un des derniers bals masqués, organisé non plus par un particulier mais par le groupe CondeNast pour les quatre-vingt-dix ans de *Vogue*.

Le thème : *Eyes Wide Shut* de Stanley Kubrick. Depuis plusieurs mois, dans certains milieux parisiens, on se demandait qui en serait et qui n'en serait pas, un peu comme à Manhattan en 1966 avant le bal de Truman Capote. J'y emmenais un ami et nous avions passé des semaines à parler de nos costumes, à les préparer. A partir de quand fallait-il porter nos masques ? Nous avions décidé de les mettre dans le taxi qui nous emmenait rue de l'Université, quelques secondes avant d'arriver à la fête, et le chauffeur avait souri en découvrant dans le rétroviseur ses clients sobrement vêtus soudain attifés de masques de carnaval. Un long tapis rouge menait les invités des hautes portes de la façade à l'entrée de l'hôtel. Nous avons piétiné la traîne de Diane Von Furstenberg, déguisée en princesse barbare, puis celle d'Anna Dello Russo, éblouie par les flashes. Un vaste espace avait été aménagé pour photographier les célébrités dès leur arrivée, fixes, immobiles, posant sagement, avant même qu'elles ne fassent la fête puisque la fête n'avait pas commencé. Plus tard, des photographes sillonneraient les allées. Il n'y avait que top models, créateurs, annonceurs, présidents de grands groupes. Presque pas d'artistes en dehors du milieu de la mode, contrairement aux bals du temps jadis, celui de Poiret ou de Lagerfeld – où Loulou de la Falaise dansait sans doute ivre morte, à moitié nue, sniffait de la coke sur les tables, avant de s'effondrer, à l'aube, dans les bras de deux inconnus qu'elle embrasserait l'un après l'autre. Ici, personne ne commettait de folie, personne ne prenait le risque d'une perte de contrôle de son image car il serait immédiatement photographié, filmé, diffusé sur le Net ou sur Twitter. Le cadre de la photographie, dans lequel on posait dès l'arrivée, s'était étendu à la fête entière. Tout le monde y vivait en posant, tout le monde y posait en vivant. Une fête magnifique, certes, mais d'où la fête semblait exclue. Dans les jardins, je croisais un ami, chargé de tweeter en direct tout ce qui se passait : Giovanna Battaglia était « trop démente », me dit-il, parce qu'elle portait de grandes cuissardes en cuir rouge clouté. J'avais beau la chercher, je ne la trouvais pas. Alors, échoués au fond du jardin, près des cuisines d'où sortait parfois un garçon pour nous resservir du champagne, nous nous sentions bien, dans la fraîcheur de la nuit, seuls loin des autres, éternels spectateurs s'ennuyant dans un monde d'acteurs. Ce n'est que le lendemain, en regardant les photos de la soirée sur le Net, que je découvrais Carine Roitfeld en robe squelette et cape léopard, Emmanuelle Alt toujours discrète, Gaultier seulement reconnaissable à un signe : son pull marin ; Dita Von Teese en courte redingote noire et porte-jarretelles ; et enfin les cuissardes rouges de Giovanna Battaglia. Je regardais ces photos avec le sentiment étrange de découvrir une soirée où je ne m'étais pas rendue, de contempler ses invités avec envie comme devaient les regarder des milliers de jeunes gens se disant, comme je me l'étais dit à leur âge, comme je l'avais cru moi aussi : la vraie vie, c'est ça.

117

« Je me suis souvenue de ce prince triste à qui l'on avait dit que pour devenir heureux, il devait porter la chemise d'un homme complètement heureux. Il fit le tour du monde jusqu'à ce qu'il rencontre un homme qui lui semble absolument heureux. "Votre chemise contre mon royaume !" supplia le prince en extase. Mais le vieil homme lui répondit : "Je n'ai jamais eu de chemise." »
Elsa Schiaparelli, *Shocking Life*.

« Ça peut sembler un peu tiré par les cheveux, mais est-ce que vouloir porter les vêtements de quelqu'un est si différent que vouloir s'envelopper dans leur peau, comme le mec dans *Le Silence des agneaux* ? » déclare l'officier Goodman au *New York Times* pendant l'enquête sur le « Bling Ring », ce gang de jeunes gens aisés de Los Angeles qui, entre 2008 et 2009, ont cambriolé plusieurs propriétés de stars (Orlando Bloom et Miranda Kerr, Paris Hilton, Lindsay Lohan, etc.) pour s'approprier leurs garde-robes. Parmi eux, Alexis Neiers, une habituée de la nuit à Los Angeles, suivie de club en club par une chaîne de télé pour une sorte de reality show racontant la vie d'une *party girl*. J'avais d'abord lu leur histoire dans un reportage de *Vanity Fair* (mars 2010) signé Nancy Jo Sales, avant que Sofia Coppola n'en fasse un film en 2013. Ce ne sont pas tant les cambriolages de vêtements de stars qui m'avaient sidérée, mais le fait que, lorsque l'équipe de télé s'était mise à filmer des scènes dans la maison et la famille d'Alexis Neiers, alors arrêtée, le producteur avait soufflé les « bonnes » répliques au père et à la mère de la jeune fille – le spectacle, ou la fiction, gangrenant le réel, s'y confondant, le réel se formatant au spectacle. Alors pourquoi pas, dès lors, vouloir s'habiller comme les vedettes mêmes du spectacle, vouloir endosser leurs vêtements ? Le geste de ces enfants se contentait de métaphoriser le temps, incarnant une dépersonnalisation galopante à échelle collective. Les filles voulaient s'habiller non pas seulement comme Lindsay Lohan, mais *en* Lindsay Lohan, alors elles allaient se servir directement dans sa garde-robe, pénétraient dans sa maison, s'allongeaient sur son lit, dansaient dans la discothèque privée de la maison de Paris Hilton, niant ainsi toute limite entre « public » et « privé ». Tout se mêlait dans ce désir d'« en être », d'être d'autres personnes qu'elles-mêmes, d'arracher leur part au spectacle.

Enfin, il y avait eu la façon dont tous ces gamins, une fois arrêtés et jugés, avaient eu de clamer repentance, de s'autoflageller, de se déclarer désaxés, de présenter leurs excuses, de parler de karma, de désintoxication, de psychiatrie... comme s'ils avaient participé à une série de meurtres alors qu'il ne s'agissait que de quelques cambriolages. Il y avait quelque chose d'innocent chez eux : après tout, ils ne faisaient qu'incarner le symptôme d'une société qui balançait des fringues de marques sur des stars, qui les exhibaient aux yeux d'un public planétaire qui ne pouvait pas se les payer, générant ainsi un désir impossible à combler. Ces gamins étaient la réponse punk à ce monde qui n'en finissait pas de leur servir les célébrités en modèles, tout en les excluant – le seul droit qu'on leur consentait, c'était d'aller sublimer leur désir chez Prada, Dior, Saint Laurent, Diane von Furstenberg, Miu Miu, Gucci, Céline, Valentino, Armani,

119

Chanel, Oscar de la Renta, Chloé, Christian Louboutin, Roger Vivier, etc.

Or, les enfants du « Bling Ring » avaient agi de façon littérale, en se servant directement chez leurs stars préférées. Ils n'avaient fait que mettre en actes ce qu'une époque non utopique nous enjoignait de faire : nous dupliquer les uns les autres, nous cloner sans avancer, coincés que nous étions dans un temps statique où les seules évolutions consistaient à accéder à la nouvelle version d'un téléphone portable ou à la collection Resort de Chanel, voire à sa copie chez Zara. L'époque avait engendré trois phénomènes qui fonctionnaient ensemble : le clonage, la mode à échelle industrielle, le spectacle qui envahit tout. Nous nous clonions les uns les autres par le vêtement, nous nous transformions, nous avions ce pouvoir-là, mais en un autre que le spectacle avait désigné, validé. Le temps se muait ainsi en un piège circulaire : une mare fétide dans laquelle nous stagnions, ne faisant, pour tout mouvement, que tourner avec agitation sur nous-mêmes sans jamais avancer.

Sur mon lit de mort, quel regard jetterai-je sur la vie que j'avais eue : me sentirai-je heureuse parce que tel soir, j'étais la femme la mieux habillée du restaurant où il m'invitait ? J'étais devenue la Bête de *La Belle et la Bête*. Je vivais enfermée par un sortilège dans un palais délabré, maléfique, où toute vie s'était figée en pierre, où les êtres, métamorphosés en statues, contemplaient le temps brutalement arrêté. Parfois la Belle m'invitait à dîner, et la Belle, c'était lui. Alors je lui posais la même question, condamnée à bégayer les mêmes mots douloureux : la Belle, m'aimerez-vous un jour ? Et la réponse, toujours, était la même, et toujours était non.

Une nuit, elle rêve enfin de son père mort. Elle rêve qu'il l'a rappelée sur son lit de mort, qu'il voulait la revoir une dernière fois avant de mourir. Il voulait la revoir, il l'aimait donc… Alors, c'est vrai, il m'aimait ? Alors des flots de tendresse l'avaient envahie et elle s'était enfin autorisée à l'aimer, ce père qui l'avait abandonnée. Elle était, enfin, sûre de pouvoir s'abandonner à l'aimer, puisqu'il l'aimait. Dans le rêve, elle demandait à un ami de son père, photographe, de lui montrer un portrait de son père juste avant sa mort, pour voir son visage d'homme de soixante-treize ans qu'elle ne connaissait pas. La dernière fois qu'elle l'avait vu, en juin 1992, alors que sa mère venait de mourir quelques jours plus tôt, il avait cinquante-quatre ans. Elle ne l'avait plus jamais revu. Elle ne l'avait pas vu vieillir, comme elle ne verrait jamais sa mère devenir une femme âgée. Elle n'avait pas eu d'enfants. Le temps passait et personne ne changeait, elle s'était enfermée dans un temps secret qui, secrètement, ne passait pas.

Son père ne l'avait pas appelée sur son lit de mort. Il était mort sans la revoir. Sa mort, survenue le 9 mai 2011, elle ne l'avait apprise que le 16 août, par un appel de son demi-frère inquiet de récolter sa signature pour toucher l'assurance vie qu'avait souscrite leur père. Et elle avait éclaté en sanglots.

La dernière fois qu'elle l'avait vu, il avait onze ans. Aujourd'hui, c'était un beau jeune homme de trente et un ans qui lui racontait son enfance avec leur père, moins idyllique qu'elle ne l'avait cru. Un jour, son père avait voulu donner à son fils, alors âgé de sept ans, la montre qu'il portait et qui l'avait accompagné dans tous ses reportages. C'était la montre de son père, alors le petit garçon avait refusé de la prendre, se sentant l'usurper, usurper un accessoire d'adulte – et de héros puisque ce père avait voyagé dans les contrées en guerre les plus dangereuses –, et il ne voulait pas en priver son père. Celui-ci lui avait alors demandé d'aller chercher un marteau. Il avait retiré sa montre, l'avait posée par terre, brandi le marteau au-dessus d'elle, et avait réitéré sa question : « Veux-tu cette montre ? » L'enfant, les larmes aux yeux, avait répété que c'était la montre de son père et qu'il ne pouvait pas la porter. Et le père avait détruit la montre à coups de marteau.

Alors, le temps s'était arrêté.

C'est une séquence dans *In the Mood for Love* qui montre Maggie Cheung et Tony Leung dînant plusieurs fois ensemble, et à chaque fois, il ne se passe rien. N'importe quel cinéaste aurait tourné plusieurs scènes. Pour montrer qu'ils sont enfermés dans le temps statique de la répétition, Wong Kar-Wai a cette idée de pur cinéma : si toute la séquence les montre marchant dans la rue, dînant au restaurant, puis rentrant chez eux, comme s'ils n'avaient dîné ensemble qu'une seule fois, Maggie Cheung porte sur chaque plan une robe différente. Autour d'eux, rien n'a changé. Le seul signe qui prouve que nous sommes dans un temps différent, c'est la robe. Nous faisons les mêmes gestes, allons dans les mêmes lieux, voyons les mêmes êtres, répétons les mêmes histoires – seules mes robes changeaient, et seul ce changement de robes indiquait que le temps passait. Prisonnière d'un temps figé, piégée dans la répétition, un temps morbide, infini, dont j'espérais encore qu'un événement me ferait sortir même si je finissais par craindre que seule la mort n'en soit la véritable issue.

Dans *The Grandmaster*, Wong Kar-Wai met en scène Zhang Ziyi dans le rôle de la fille d'un grand maître des Arts martiaux – il lui a tout appris, ils savent, l'un comme l'autre, qu'elle est la seule à l'égaler. Sauf qu'elle est femme, alors il choisira un autre disciple pour le représenter, transmettre son savoir. Mais ce disciple le tue, et Zhang Ziyi n'aura de cesse de venger son père. Sur un quai de gare enneigé, Zhang Ziyi porte un manteau au haut col de fourrure noire qui la maintient droite comme une armure. Elle se bat et achève le disciple. Elle s'en va lentement, hiératique, sanglée dans son manteau noir, suivie de son serviteur, un homme étrange au physique de pirate, un petit singe sur l'épaule. Arrivée chez elle, elle s'appuie soudain contre un mur et se met à cracher du sang. Ses blessures sont internes. Elle peut afficher une élégance de façade et mourir lentement de l'intérieur d'un mal qui ne se voit pas mais a commencé à la ronger. Elle meurt quelques années plus tard à Hong Kong, droguée à l'opium, sans jamais avoir été aimée de l'homme qu'elle aime et qui n'aura rien compris.

123

Et lui non plus, il n'avait rien compris. Alors j'avais fait seule le voyage à Londres, réservé la chambre bleue du Cadogan, déjeuné chaque jour dans les restaurants où nous nous rendions ensemble. L'héroïne de *Bonjour minuit*, de Jean Rhys, fait le voyage inverse : elle quitte Londres pour Paris où elle a vécu un amour dont elle est sortie brisée. Elle retourne dans les mêmes bars et se saoule. Elle se souvient d'une maison de couture place Vendôme où elle travaillait cinq ans auparavant, quand elle était au bord de la misère. On lui avait promis de lui solder une robe trop portée par les mannequins cabine, et elle en avait fait un talisman : « C'est une robe noire avec des manches larges brodées de couleurs vives – rouge, vert, bleu, violet. C'est ma robe. Si je l'avais portée, je n'aurais jamais bafouillé, jamais été stupide. »

Les êtres désespérés transfèrent aux objets les pouvoirs dont ils se sentent dépossédés. Sans la magie de l'objet, ils échouent, et échoueront toujours : « Puis je me mets à penser à la robe noire, à en avoir envie, follement, furieusement. Si j'arrivais à l'avoir tout changerait. Si je demandais à Chose de demander à Machin de demander à Mme Perron de me la garder ?... Je trouverai l'argent. Je le trouverai... » Je le trouvais toujours et m'achetais des robes, et des robes, et encore plus de robes.

Parce qu'une robe ne vous blesse jamais, n'étant jamais que cette peau morte pendue dans votre garde-robe qui n'attend que votre bon vouloir, se laisse enfermer et sortir selon votre gré, et vous appartient pour toujours. Vous avez, avec une robe, cette assurance-là et aucun doute n'est plus permis. Une robe ne dit jamais non. La robe vous embellit, vous renvoie une image gratifiante de vous-même, une image de vous *aimable*. Une robe ne choisit jamais d'épouser le corps d'une autre. Une robe devient sienne dès qu'on la possède. Une robe ne risque pas de vous abandonner, ni de vous aimer moins. D'ailleurs la robe se laisse aimer sans se refuser. Une robe, en somme, ne se dérobe jamais.

Elle commençait à rêver d'une autre vie, d'une vie qui coïnciderait enfin avec la vie merveilleuse que lui racontait sa garde-robe – plutôt que d'adapter sa garde-robe à sa vie réelle. Elle penchait de plus en plus dangereusement vers une extraction de son corps de ce monde qui la faisait périr d'ennui. Ailleurs, dans une autre vie, comme un palais enchanté où elle ne vivrait que selon ses règles, elle pourrait enfin s'habiller comme elle le souhaitait, faire d'elle sa propre héroïne dans un roman où plus rien ne serait médiocre. Elle aurait accumulé encore davantage de robes, de souliers, de bijoux. Elle commençait à comprendre ces êtres qui préfèrent les objets à la compagnie des hommes. Esthètes, dandys, ceux que la norme qualifie d'excentriques, consacrant leur vie, leur être, aux choses, et à leur goût, plutôt que de se risquer avec les vivants. Peut-être avaient-ils recherché chez l'autre une fusion, comme si cet autre avait représenté une part d'eux-mêmes ou de leur rêve, de leur désir le plus profond, le plus urgent, et dès lors le plus dangereux s'il se révèle à nouveau déçu. Ils vivaient l'Autre comme une prolongation idéale d'eux-mêmes, une réparation possible de leur être, cette partie d'eux-mêmes qui leur manquait, comme si elle leur avait été jadis amputée. Dans un moment d'hallucination amoureuse, ils avaient eu l'illusion cruelle de la retrouver enfin, de pouvoir s'y réconcilier en se liant à l'autre, se retrouver tels qu'ils avaient cru être et qu'ils n'étaient plus. Or le passé ne se réparait jamais. Alors ils avaient longtemps erré à la recherche de cet autre manquant, et à chaque fois, ils n'avaient rencontré que la déception : l'autre n'était pas, et ne serait jamais, cette part d'eux-mêmes. L'angoisse devenait alors trop forte. Le piège de la fatalité se refermait sur eux.

J'errais dans un palais immense et délabré où les centaines de candélabres restaient éteints, auréolés de toiles d'araignées déchiquetées. Les miroirs ne me renvoyaient qu'un seul reflet : une femme privée de son ombre à force d'en avoir pris la place, qui se déplaçait en un lent glissement solitaire de pièce en pièce, les yeux trop fardés et les cheveux enchevêtrés, parée de ses plus belles perles et de bijoux démodés. Elle errait seule prisonnière d'un labyrinthe enchanté qui ne la laissait pas sortir. Un palais aux plafonds vertigineusement hauts mais dont les murs ne comprenaient aucune issue. Elle marchait longtemps dans ce palais immense sans voir qu'elle ne faisait qu'y tourner sur elle-même, comme une pauvre petite toupie. Il aurait fallu sortir vivre, mais en avais-je envie ? Il aurait fallu sortir vivre, mais quel ennui. Emmurée vive je pouvais montrer mon autre visage sans être rejetée, réécrire ma vie comme une fiction sans me heurter aux autres. Je m'habillais enfin tel que je le souhaitais vraiment, poudrais mes cheveux d'argent, m'appuyais sur une canne d'ivoire, peignais mes chats en or. La tentation d'un des Esseintes, réfugié hors de la compagnie des hommes – « Le mouvement lui paraissait d'ailleurs inutile et l'imagination lui semblait pouvoir aisément suppléer à la vulgaire réalité des faits » –, incrustant de pierreries la carapace de sa tortue.

« Il composa ainsi le bouquet de ses fleurs : les feuilles furent serties de pierreries d'un vert accentué et précis ; de chrysobéryls vert asperge ; de péridots vert poireau ; d'olivines vert olive ; et elles se détachèrent de branches en almadine et en ouwarovite d'un rouge violacé, jetant des paillettes d'un éclat sec de même que ces micas de tartre qui luisent dans l'intérieur des futailles. Pour les fleurs, isolées de la tige, éloignées du pied de la gerbe, il usa de la cendre bleue ; mais il repoussa formellement cette turquoise orientale qui se met en broches et en bagues et qui fait, avec la banale perle et l'odieux corail, les délices du menu peuple ; il choisit exclusivement des turquoises de l'Occident, des pierres qui ne sont, à proprement parler, qu'un ivoire fossile imprégné de substances cuivreuses et dont le bleu céladon est engorgé, opaque, sulfureux, comme jauni de bile. Cela fait, il pouvait maintenant enchâsser les pétales de ses fleurs épanouies au milieu du bouquet, de ses fleurs les plus voisines, les plus rapprochées du tronc, avec des minéraux transparents, aux lueurs vitreuses et morbides, aux jets fiévreux et aigres. Il les composa uniquement d'yeux de chat de Ceylan, de cymophanes et de saphirines. Ces trois pierres dardaient en effet, des scintillements mystérieux et pervers, douloureusement arrachés du fond glacé de leur eau trouble. L'œil de chat d'un gris verdâtre, strié

de veines concentriques qui paraissent remuer, se déplacer à tout moment, selon les dispositions de la lumière. »
J.-K. Huysmans, *A rebours*.

Le roman avait été qualifié de « décadent ». Etait donc considéré comme décadent le fait de ne rien vivre que la constitution d'un univers esthétique en apparence clos ; vivre en dehors du bien ou du mal, des règles morales ou sociales, selon ses seuls critères esthétiques. Faire de sa vie une œuvre d'art en privilégiant la vie de l'esprit, c'est-à-dire solitaire, contre le grégarisme du nombre et la sottise de la doxa. Combien de fois avais-je trouvé refuge dans le rêve contre la précarité du monde, contre la trivialité d'humains qui se croyaient vivants mais se montraient implacablement figés ? Alors ne valait-il pas mieux préférer la fréquentation des autres au travers de ce qu'ils avaient produit de mieux : des livres, des films, des œuvres ?

Luisa Casati avait lu *A rebours* avec son amant, « le prince décadent de la littérature italienne » Gabriele D'Annunzio, et elle en fit son principe de vie. Colossalement riche, elle avait la liberté de n'opposer aucune limite à l'esthétisation de sa vie, et perpétua la clôture de l'espace intime de ses palais au monde entier. Si elle évoluait chez elle entourée de deux guépards, elle sortait nue dans les rues de Venise à la nuit tombée, avec pour seules parures une coiffe d'aigrettes, des cascades de perles et ses deux lévriers. Elle débarquait en soirée avec un cobra en guise de collier – au Ritz, elle exigeait des valets qu'ils le nourrissent de lapins vivants. Elle se rendit à un bal masqué chez Etienne de Beaumont dans une robe faite d'ampoules électriques – qui court-circuitèrent et faillirent la tuer. Pour l'un de ses propres bals, elle avait fait privatiser la place Saint-Marc, s'y rendant dans sa gondole conduite par des valets en livrée xviiie. Parce que la vie entière ne pouvait être supportable qu'en devenant une vaste scène de théâtre, elle faisait faire ses tenues par Léon Bakst, ou l'orientalisant Paul Poiret. Elle avait construit sa vie non comme une suite d'actions mais comme une succession de tableaux où elle s'incrustait, réifiée en image. Elle disait vouloir faire d'elle-même une œuvre d'art. Mais se métamorphoser en image fixe par tous les peintres et les photographes de l'époque ne lui avait pas suffi. Pour se changer définitivement en une immobilité muette, elle eut le mauvais goût – ou l'humour – de commander à un fabricant de statues sa réplique grandeur nature : une statue de cire vêtue de ses robes de satin noir et de ses bijoux. Le double de cire ainsi créé, avait-elle constaté que se tenait face à elle son corps parfait, ultime, le corps même qu'elle avait toujours voulu habiter ? Par la suite, elle n'eut de cesse de limiter son aire de jeu, de limiter sa vie, en flambant tout, en dilapidant sa fortune en quelques années. C'est peut-être là le geste le plus surréaliste de cette femme surréaliste avant l'invention du surréalisme : déréaliser l'argent, le dévaloriser d'un seul coup en le claquant dans l'éphémère, finissant ses jours dans le dénuement à Londres où d'aucuns l'auraient vue faire les poubelles à la recherche de morceaux d'étoffes pour se confectionner un ultime costume de scène.

« Des Esseintes, c'est moi », me disait Edouard Levé. Eternel célibataire, il vivait seul dans un appartement près de la place de Clichy, y passait ses nuits à peindre ou à écrire, à lire Raymond Roussel, à s'habiller de pantalons de velours vieux rose ou rouge sombre, à repeindre ses murs et ses meubles à l'acrylique argenté, à déjeuner et dîner à heures fixes des mêmes mets. Parfois, il sortait et s'étourdissait à la fréquentation des autres dont il revenait plus profondément dépressif. Ses photos et ses livres connaissent soudain un grand succès. Edouard se met à sortir, à devenir cet animal social qui l'effrayait, à accumuler les vernissages, les relations, à maîtriser la conversation brillante et vide du mondain. Il déménage dans un appartement vers le Cirque d'hiver, y installe une jeune femme. Tout le monde le dit heureux. Il s'est, enfin, *normalisé*. Et puis un jour il se rend au BHV pour acheter une corde et se pend quelques heures plus tard.

« A examiner le travail de sa pensée, à chercher à en relier les fils, à en découvrir les sources et les causes, il en vint à se persuader que ses agissements, pendant sa vie mondaine, dérivaient de l'éducation qu'il avait reçue. Ainsi ses tendances vers l'artifice, ses besoins d'excentricité, n'étaient-ils pas, en somme, des résultats d'études spécieuses, de raffinements extraterrestres, de spéculations quasi théologiques ; c'étaient, au fond, des transports, des élans vers un idéal, vers un univers inconnu, vers une béatitude lointaine, désirable comme celle que nous promettent les Ecritures. »
J.-K. Huysmans, *A rebours.*

Si je n'avais pas eu à travailler, à me confronter quotidiennement au regard des autres, que serais-je devenue ? Une folle, un cauchemar, ou mieux : moi-même ?

« Ce que le public te reproche, cultive-le : c'est toi. » Jean Cocteau, *Le Potomak*.

Mais, « revenu dans la vie présente, il s'inquiéta de la tortue. Elle ne bougeait toujours point, il la palpa ; elle était morte ».

Elle aurait pu accumuler les vêtements, les parures, créant entre elle et le monde une muraille de douceur, offrir aux autres une peau qui ne serait pas la sienne, ou une extension morte de son âme, qu'ils ne pourraient ainsi jamais blesser, vivre dans ce cocon un rêve identitaire comme lorsque enfant la chemise de nuit de sa mère suffisait à lui faire croire qu'elle était une princesse. C'était devenu chez moi une étrange tentation, qui paraîtrait scandaleusement superficielle aux yeux des autres – décadente, puisqu'elle me détournerait d'eux. L'écriture seule, pour décrypter ce rapport au vêtement par lequel tout semblait transiter, s'éclairer, du rapport à l'autre en passant par les classes sociales et l'impossible ascension, les masques et l'identité, le désir d'être une autre et de s'offrir sa peau en la prélevant sur le corps de l'autre femme, l'ombre et la lumière, l'intime et le spectacle – l'écriture seule, donc, pouvait tenir lieu de fil d'Ariane dans ce labyrinthe du travestissement qu'était devenue la vie, où la frivolité était bien plus grave qu'on ne le croyait. Un fil d'Ariane qui lui permettait de se retrouver, enfin, et de ne pas sombrer dans cette vertigineuse perte de soi qui la guettait à chaque instant.

Mais la Casati avait fini par se suicider. Peut-être s'était-elle même appréhendée toute sa vie comme une femme *déjà* morte. Cette femme, c'était la princesse Cristina Trivulzio (1808-1871), qui avait régné sur un salon, s'était retrouvée mêlée à des activités politiques secrètes, et avait été la maîtresse de Balzac, Musset, Delacroix et Chopin. Sa mère en avait parlé à Luisa lorsqu'elle était enfant, lui racontant les destinées de femmes exceptionnelles, dont, également, celle de la comtesse de Castiglione. Devenue adulte, Luisa donnera pour prénom « Cristina » à sa fille en hommage à cette femme qui n'avait cessé de hanter et de former son imaginaire. C'est pourtant avec la Castiglione qu'on la confondra après sa mort. La Casati avait été enterrée comme elle avait vécu, en statue gothique vêtue de noir et de léopard, des faux cils exagérément longs fixés à ses yeux clos, son pékinois empaillé à ses pieds. Dans cet habile jeu de miroirs et de confusions qu'est le temps lorsqu'il change les histoires en légendes, c'est à la Castiglione qu'on prêta l'enterrement avec un chien empaillé. Peut-être parce qu'elle aussi avait tenté de se transformer en œuvre d'art : elle se parait pour poser longuement dans les studios des premiers photographes, se fixant elle-même dans un cadre. Comme des Esseintes faisant d'une tortue un bibelot, la Castiglione et la Casati avaient métamorphosé leur chien en statue, mais seule Luisa avait emporté le sien dans la tombe. Les êtres vivants n'étaient guère que des parures pour cette femme qui s'était elle-même réifiée en poupée grandeur nature. Lors d'une séance de spiritisme à Londres le 1er juin 1957, elle qui était passionnée de métempsycose exige du médium le transfert de son âme à sa statue de cire. Puis elle regagne son modeste appartement tendu de velours noir, s'étend sur un divan éventré, et s'éteint quelques heures plus tard.

Elle laissait derrière elle ce totem à son effigie, comme les Egyptiens multipliaient dans l'Antiquité les statuettes à leur image, qui avaient le pouvoir magique d'assurer leur passage dans la mort jusqu'à la vie éternelle. Si leurs ennemis voulaient les en empêcher, il leur suffisait d'abîmer ces petits fétiches, en les décapitant, en leur rognant même seulement le nez. C'est pourquoi ils faisaient produire ces petites statues par dizaines, par centaines, et les plaçaient dans des endroits différents du tombeau, pour être certains qu'un seul, dans le nombre, serait épargné, car il suffisait d'un seul, s'il était entier, pour leur permettre l'accès à l'immortalité.

L'éternité se gagnait aussi au prix d'un ultime vêtement – le plus bel atour qui puisse exister, une idée de papier : un livre. Un vêtement de mots – car c'est, in fine, les mots qui nous assurent l'éternité. *Le Livre des morts égyptiens* était fait d'une longue bande de papyrus ornée de hiéroglyphes qu'on intégrait dans les bandelettes de la momie, un rouleau qui permettait le grand passage. Ce livre avait eu pour titre le *Livre pour sortir au jour* : renaître, c'était passer de l'ombre à la lumière, de l'invisibilité à la visibilité, du néant au spectacle. L'écriture seule avait ce pouvoir de vous tirer des ténèbres, de vous mener vers la lumière, de la mort et la solitude à la vie, des limbes à une plate-forme, des coulisses à la scène. Vivre, c'était accepter ce danger intrinsèque à toute vie : l'exposition.

Les morts, aujourd'hui encore, étaient toujours maquillés et vêtus de leurs plus beaux vêtements, et puis il y avait le linceul qui les enveloppait, telle une ultime protection. Les Egyptiens embaumaient les corps morts et les entouraient de bandelettes serrées pour les maintenir entiers, réifiant ainsi le corps en momie. Chez eux, l'ultime vêtement, la dernière robe servait de seconde peau pour maintenir les chairs, les membres « ensemble », les protéger des effets du temps qui menaient fatalement à la décomposition, les sauver de cette désintégration, comme si la véritable mort résidait dans la perte de son intégrité physique. Un baume et du tissu : maquillage et vêtement comme seules armes pour rester entier. Le corps, ainsi solidifié, devenait lui-même un totem qui, comme ces petits fétiches dont les Egyptiens parsemaient le tombeau, s'il passait les portes du royaume de la mort sans être entaillé par le pourrissement des chairs, permettait à l'âme l'éternité.

N'étions-nous que des âmes errantes à la recherche d'un habitacle, de peaux ou d'étoffes, pour exister ? Nous passerions ainsi d'un corps à l'autre pour renaître – nous passions ainsi, en une vie, d'un vêtement à l'autre, transférant notre âme d'une tenue à une autre, pour nous offrir une illusion d'éternité. La métempsycose ne semblait plus s'opérer aujourd'hui d'une vie à l'autre, mais dans une seule et même existence : passer d'un corps à l'autre, d'une peau à l'autre, d'un masque à l'autre, pour mieux renaître. Accumuler plusieurs peaux pour vivre plusieurs vies en une seule. Un défi au temps et à la nature. L'éternité le temps de quelques décennies.

L'homme moderne est né il y a un siècle, enfanté par les mots d'une jeune femme de dix-neuf ans. Il est constitué de morceaux de cadavres humains, de peaux d'hommes morts couturées ensemble comme on fait une robe. Un corps inventé par un créateur, comme on appelle désormais les « stylistes » de mode, comme on appelait jadis Dieu, un corps comme on assemble manches, col, buste pour créer un vêtement. Quand Prométhée, dans la mytho-logie grecque, crée un homme, c'est à partir de boue, à partir d'eau et de terre, deux éléments naturels qui se mélangent, se solidifient en séchant, se solidifient en totem qui prend dès lors vie. Dans *Frankenstein ou le Prométhée moderne*, Victor Frankenstein crée la vie en assemblant des morceaux de cadavres. « Chaque chose doit avoir un commencement », écrit Mary Shelley dans sa préface à l'édition de 1931, « et ce commencement doit être lié à quelque chose l'ayant précédé (…) L'invention, admet-tons-le dans l'humilité, ne consiste pas à créer à partir du vide, mais du chaos ; le matériau doit être apporté, il peut donner forme à des substances obscures et informes, mais ne saurait mettre au monde cette substance. »
Une nouvelle vie ne se créerait que sur la base de vies plus anciennes, un homme ne peut « prendre corps » qu'en étant composé de corps ayant déjà existé, une âme ne peut habiter que d'autres habitacles, assemblés

ensemble comme des étoffes, des bandelettes. Quand Mary Shelley écrit *Frankenstein*, elle vient de perdre un enfant. A l'exception d'un seul, elle perdra tous ses enfants avant de perdre, très jeune, l'homme qu'elle aime, le poète Percy Shelley, qui meurt noyé. Et à la naissance de Mary, il y eut une mort inauguratrice : sa mère, l'écrivain Mary Godwin, était morte en couches. Qu'est-ce que la créature de *Frankenstein* sinon le moyen de faire revenir les morts à la vie ? Qu'est-ce que cette histoire de Prométhée moderne sinon la mise en scène d'une naissance sans enfantement, sans accouchement, et sans mère, donc sans risque de la tuer en venant au monde ?

La créature de Frankenstein, cet homme nouveau, annonce notre ère : naître, c'est aussi renaître, contre les règles de la nature. C'est transgresser la norme, comme tout idéal.

Roman métaphysique, prouvant qu'une vie peut en rassembler plusieurs en un seul corps de par sa composition multiple, qu'on peut renaître hors des règles de la nature, qu'il s'agit pour cela de revêtir les peaux et les masques des autres, de devenir soi-même par la grâce d'une métempsycose électrique : transférer son âme dans la peau de plusieurs autres, dans l'habitacle de plusieurs corps, défier Dieu et la nature, et notre pire ennemi, le temps. Un puzzle en guise de visage. Une vie contre nature.

Au cœur du roman de Mary Shelley se pose la question des apparences. Y croire ou ne pas y croire ?

Y correspondre, ou pas ? Le monstre effraie et sera pourchassé de tous sauf d'un seul, aveugle. Seul l'aveugle le perçoit tel qu'il est vraiment : innocent. Ceux qui voient ne voient rien. Ils se fient à l'apparence, et à cause de son apparence le pourchassent, puisqu'il ne leur ressemble pas. Une âme rendue invisible par des vêtements de chairs difformes, que seul un aveugle peut percevoir.

Avec le temps, la créature, dont la tragédie est de ne pas avoir été nommée par son créateur, a fini par s'appeler pour tous « Frankenstein » dans une confusion passionnante entre créature et créateur, puis entre la créature et le roman lui-même. En confondant le roman avec le monstre, des générations de lecteurs allaient prouver que le personnage le plus important de l'œuvre n'est pas l'homme qui fait naître mais celui qui renaît. Le plus romanesque n'est pas celui qui maîtrise la science mais celui qui ne maîtrise pas son destin, qui se heurte à la tragédie de la renaissance, de sa réinvention – celui qui doit affronter le chaos. Pour les lecteurs, le roman porte le nom du monstre, le monstre celui d'un roman, comme s'ils ne formaient plus qu'un seul corps : écriture et renaissance confondues dans un même processus d'hybridation.

Gustave Moreau peint *Œdipe et la Sphinge* en 1864. Inventée dans l'Antiquité, la créature hybride, faite d'une tête et d'un buste de femme, d'un corps de lion agrémenté d'ailes d'aigle, redevient à la mode au XIXᵉ siècle et réapparaît dans l'art et l'architecture. Elle symbolise la femme moderne, la femme future, et le regard que les hommes lui portent tel l'Œdipe du tableau de Moreau qui la fixe dans les yeux alors qu'elle s'accroche à son corps à la verticale comme une araignée : défiance et attirance, désir et terreur. Le siècle prend conscience que la femme est multiple : douce et domestiquée, mais aussi sauvage, dangereuse. La tête civilisée et le corps sexuel, la raison et la pulsion – et des ailes pour pouvoir s'éloigner, viser le très haut. Un idéal de beauté d'un côté, la sexualité de l'autre, et puis son indépendance, une certaine grandeur, enfin, l'âme, la spiritualité. La Sphinge (ou le Sphinx) incarne dans l'Antiquité la figure de l'énigme. Une femme énigmatique pose des questions mystérieuses que les hommes échouent à élucider. Seul Œdipe parvient à déchiffrer l'une de ses équations. Percée à jour, débarrassée de son mystère, elle se jette d'une falaise.

L'idée d'un être multiple semble appartenir depuis toujours à l'imaginaire collectif, fait partie intégrante de nos désirs et de nos peurs – peut-être parce qu'il nous représente tels que nous sommes réellement au plus profond de nous-mêmes, composites, et que la société des hommes aura eu intérêt à nous réduire pour mieux nous neutraliser. Heureusement que l'hermaphrodite reste endormi au Louvre. S'il n'était pas œuvre d'art exposée dans l'un des plus grands musées du monde, il serait désigné comme monstrueux par ceux qui se croient normaux. Réifié, on l'admire. Est-ce pour cela que des femmes telle la Casati, toutes celles qui se sentiraient multiples, paradoxales, ont besoin tôt ou tard de se changer elles-mêmes en statue, peinture, œuvre d'art ? Un corps composite, effrayant autant que désirable, corps de femme affublée d'un sexe d'homme ou d'une prothèse animale, comme la Sphinge est affublée d'un corps de lion. Rêve d'une prothèse, frayeur d'être autre, par l'ajout mais pas seulement, car l'ajout implique toujours la soustraction, et le remplacement. Il faut toujours s'amputer pour devenir autre. Et affirmer le désir d'être plusieurs à la fois, voire contradictoire, de se métamorphoser en paradoxe vivant, de réinventer son intégrité physique, de muter – Sphinge hier, femme-prothèse aujourd'hui, homme bionique demain, homme-machine, mutant après-demain. Greffé, coupé, couturé – échappant ainsi aux entraves de la biologie et du temps, pour accéder à cette chimère qu'est l'éternité.

Une tête de lion, un corps de chèvre, une queue de serpent, la Chimère est tombée dans le vocabulaire commun pour désigner un rêve, une hallucination, un mirage, une idée « non réaliste » : une utopie impossible. Et qu'importe au fond que l'utopie soit impossible. L'essentiel, c'était d'en avoir, des utopies, et de réussir à vivre selon ses principes. Sans rêve, l'être serait un esclave : réduit à des règles, des lois, édictées par le social, la collectivité. Et le monstre, le multiple, incarnerait cet idéal de liberté. Contre la convention, contre la norme, contre le temps, contre la nature. En anglais, *A rebours* est magnifiquement intitulé *Against Nature*.

« La prolifération des images, le culte de la célébrité, la question de la dépersonnalisation, au cœur de *Télex n° 1*, est très contemporaine aussi…

— Non, je ne vous suis pas là-dessus. Quand je parle

de dépersonnalisation, c'est dans un sens positif : c'est le refus de l'identité. Voyez ce que je mets en exergue du livre : "– *Ce n'est pas ton genre, tout ça. – J'essaie de ne pas avoir de genre, même pas le masculin, surtout pas le singulier.*" Surtout pas le singulier ! C'est pourquoi j'éprouve beaucoup d'intérêt et de fascination pour les travestis, à l'époque je voyais souvent un travesti qui se produisait dans des cabarets de Paris et de Düsseldorf, car il y a quelque chose de très flottant dans ces signes de la féminité, du genre, l'assignation à une place très fixe devient impossible, et cela engendre de la mobilité. Aujourd'hui, nous vivons au contraire dans une époque de restauration, de stase ennuyeuse, où il n'y a plus de mobilité possible. Les choses sont assignées à certaines places. Voyez par exemple le retour du religieux. Regardez l'actualité avec cet invraisemblable, inconcevable mouvement assez fort contre le mariage pour tous. Je suis pour le mariage pour personne, ceci dit, mais si les homosexuels veulent se marier, cela devrait être leur droit. Bref, on est en plein dans une crispation de l'identité. Même au cinéma aujourd'hui, les acteurs ont chacun leur petite personnalité. On n'est plus dans le cas de la Nouvelle Vague où les acteurs étaient des non-acteurs, juste des gens ayant une forte personnalité, ni dans le cas des acteurs hollywoodiens qui étaient des icônes, donc étaient tout le monde. »

(Interview de Jean-Jacques Schuhl)

Que valait-il mieux, une multitude de vêtements, que beaucoup jugent tellement superficiels, ou la burka et l'uniforme, qui réduisent l'être à une seule forme, aveugle, sociale, patriarcale, idiote en un mot, un mensonge inventé par les hommes pour les asservir contre la fiction des masques et la multiplicité des formes ? Etre multiple, c'est encore être libre de choisir qui l'on serait, et quand, et pour combien de temps – et non enfermé dans un seul vêtement comme une prison, dans le but d'effacer l'identité et l'humanité de l'être, de le soumettre à l'ordre collectif, et de lui imposer cet ordre comme immanent, hors de son désir, de son goût, de sa volonté, de son intelligence, à travers une enveloppe unique, niant toute mode donc toute forme de passage et de renouvellement du temps, de progrès, refusant à celui qui le porte tout jugement esthétique, tout esprit critique. Une seule burka avait le pouvoir de soustraire à un être sa liberté, de lui nier son droit le plus important : avoir le choix.

Certains ont dit que Chimère représentait trois temps différents de la vie de la femme : le lion pour la puberté, la chèvre pour la maturité, le serpent pour la ménopause. Tous les temps en un seul corps, l'utopie impossible. Seul un autre hybride pouvait parvenir à la vaincre : Pégase, le cheval ailé. Elle échappe au temps, il échappe à la pesanteur.

Des Esseintes avait tenté de vivre sa vie selon son utopie – qui s'était avérée impossible. Echapper au monde, se replier dans un antre qu'il décorerait seulement selon ses goûts, entouré de ses livres et de ses œuvres d'art favorites, de parfums entêtants, de plantes carnivores car les autres étaient trop communes. Ne vivre que dans, et par, son univers esthétique. Il se sent enfin, pour la première fois de sa vie, parfaitement coïncider avec lui-même ; il sent son intégrité, qu'il risquait de perdre à trop fréquenter les autres, se régénérer, se reconstituer enfin hors du danger d'être « compromis », entamé par les règles des autres. Mais cette vie idéale ne sera qu'une chimère. Son corps, peu à peu, se détraque. Il tombe malade et les médecins l'obligent à regagner Paris, le cœur symbolique d'une époque où l'argent et la bourgeoisie ont déjà gagné contre le goût. Au-delà d'un hymne au dandysme, *A rebours* est un roman visionnaire qui annonce l'avènement d'un temps qui est encore le nôtre, et qui érige comme seule arme l'individualité, la culture de sa singularité – peut-être même le roman le plus révolutionnaire jamais écrit parce qu'il fait l'apologie de l'individu libre de se réinventer une existence contre toute doxa, sur la base des créations des autres, ces seuls véritables papiers d'identité, comme la créature de Frankenstein est composée de morceaux de corps d'autres hommes, comme ce texte que je suis en train d'écrire est un corps hybride composé des textes, films, vies des autres, où je n'en finis pas de me retrouver, labyrinthe qui me constitue, puzzle qui prend forme et forme mon autoportrait.

« Au fond, elle n'aimait personne », me dit un jour Nelly, que j'avais rencontrée à la vente Garbo. « Elle s'aimait, elle. Elle n'aimait vraiment qu'elle-même. » Bien qu'entourée, elle était seule. Elle n'avait jamais vraiment vécu avec un homme – ni une femme. Dans certaines de ses biographies, on avait même l'impression qu'elle n'avait eu de relations sexuelles avec personne, ou alors avec tout le monde, indifféremment, davantage par volontarisme que par réel désir. Elle ne s'était perdue dans aucune passion. Elle partait dès que l'autre devenait fusionnel. Elle n'avait jamais voulu se fondre ni se confondre avec l'autre, en être entamée, elle n'avait pas ce besoin pourtant si commun d'être irrémédiablement liée, quoi qu'il en coûte, à un autre. Sa raison la murait dans un océan de glace. Comment avait-elle pu résister, se suffire aussi parfaitement ? C'était comme si elle n'avait jamais eu besoin de se confronter à l'altérité, comme si elle avait intégré l'altérité en elle, comme si, déjà, elle était homme et femme à la fois. Elle signait ses lettres de noms masculins ; quand elle parlait d'elle, elle se désignait comme un garçon, parfois comme un vieux garçon ; jusqu'à la fin de sa vie, lorsqu'elle passait trois, quatre mois, chaque été, à Klosters en Suisse (elle fuyait la chaleur de New York), elle réservait toujours la même chambre de l'hôtel Pardenn, la 410, une chambre avec deux lits, comme pour deux personnes. Et ces deux personnes qu'elle abritait en elle étaient heureuses *en* elle-même, alors les autres, elle n'en avait pas besoin. C'était son utopie impossible, et les autres lui renvoyaient toujours cette impossibilité-là, l'appelant le « Sphinx » sans comprendre à quel point, et dans quels abysses de son être, elle était sphinx. Comme le Sphinx, cette dualité était porteuse d'une énigme pour les humains. Et face au Sphinx, tous échouaient à en déchiffrer l'équation. Comment accepter que Garbo n'ait pas besoin d'eux ? Qu'un être aussi beau, désirable, n'ait, au fond, pas besoin de vous, ne vous aimerait jamais comme vous l'aimiez tout simplement parce qu'il possédait déjà un peu de vous à l'intérieur de lui, et n'avait dès lors plus besoin de l'altérité que vous lui offriez, ni de la fusion ? Accepter cette chimère qu'était Garbo, qu'était le désir de Garbo, fut tout au long de sa vie impossible aux autres, à ceux qui commirent la faute d'en attendre quelque chose. Parce que les êtres qui n'ont pas besoin de vous portent en eux votre négation, vous anéantissent par leur non-désir.

Le Sphinx Garbo, c'était trop violent. Toute sa vie, les autres s'en vengèrent en violant son intimité la plus précieuse. Alors elle cessait de les voir sans un mot – elle ne prenait même pas la peine de leur reprocher, de leur expliquer, de leur signifier la rupture. Elle se contentait de ne plus jamais les prendre au téléphone, ou de raccrocher immédiatement dès qu'elle reconnaissait leur voix, comme s'il n'y avait eu personne sur la ligne. A la brutalité de leurs mots indiscrets et de leurs images volées, elle opposait la violence de son silence, leur renvoyant au visage l'insoutenable vérité : qu'ils n'avaient jamais été pour elle que de la matière morte. Autant de peaux vides, dont on se sert un temps puis qu'on remise, et qu'elle finissait par oublier, comme les vêtements qui pendaient dans sa garde-robe.

Garbo perd son père qu'elle adorait à l'âge de quatorze ans. Un rempart de protection s'effondre. Alors qu'elle est pourtant la plus jeune des trois enfants, elle se sent investie de la responsabilité de la famille, se met à gagner un peu d'argent pour subvenir aux besoins de sa mère, elle prend, mine de rien, la place du père. Comment lutter contre un deuil, contre la perte d'un être aimé ? On l'ingère. On le fait devenir une part de soi. On devient

144

un peu lui-même. On le maintient en vie artificielle à l'intérieur de son âme, de son corps, sinon l'anxiété serait trop forte. On en fait un fétiche, pour le rendre éternel et nous protéger, contrer l'immense sentiment de solitude qu'il nous a légué en disparaissant, et l'on fait de son propre corps, qui l'abrite, un totem pour assurer son immortalité. On n'aura alors de cesse de réifier son corps, de le fixer, comme Garbo avait immortalisé le sien par le cinéma, de défier tout risque de dislocation en l'enveloppant de ces bandelettes embaumées qu'on appelle fards, vêtements, parures. Les vêtements, accumulés en strates, finissent par former une armure qui protège le corps-totem de toute défaite face au temps, de toute pénétration dans sa chair qui risquerait d'en altérer l'image. Le corps se doit alors de devenir une forteresse inviolable que les autres ne pourraient plus jamais pénétrer : un corps qui ne se laisse pas prendre par un autre corps, un corps qui ne jouit pas, ne porte pas d'enfant, un corps qui se coupe des autres corps dès qu'ils l'approchent de trop près. Alors l'amour, il fallait le tenir à distance. Mettre en place des stratégies de défense. Le corps pouvait ainsi se transformer en œuvre d'art vivante, un Taj Mahal qui traverserait les siècles.

Garbo perd sa sœur Alva alors qu'elle n'a que vingt ans et tourne son premier film à Hollywood ; Mauritz Stiller deux ans après ; puis John Gilbert deux ans après leur rupture, et George Schlee en 1964. Cinq ans plus tard, elle note en français dans son agenda : « Dans quelques jour il sera le anniversaire de naissance de la douleur qui ne me quitte pas pour la reste je ma vie. »

Tout corps serait la somme des êtres qu'il a perdus. Ou plutôt, qu'il a refusé de perdre.

« Je l'affirme avec conviction : Greta Garbo n'a jamais été à l'origine de la création du mythe de sa solitude. C'était l'invention des autres », confie le thérapeute suédois qui a suivi Garbo durant six mois entre 1939 et 1940, pour soigner sa nervosité. Et si Garbo, après Hollywood, avait été heureuse ? C'était peut-être cela, son inacceptable secret. Garbo était heureuse avec elle-même, sans avoir besoin des autres. Comment les autres auraient-ils pu accepter cette vérité qui rendait leur existence obsolète ? Elle n'avait pas plus besoin du public que des hommes, d'amoureux ou d'amants, elle n'avait même pas eu besoin d'enfants. Elle pouvait envoyer balader Louis B. Mayer, larguer John Gilbert, rompre avec ses amis, bannir quiconque la décevait ou l'ennuyait, sans même que cela lui occasionne un battement de cils. Elle n'avait rien à perdre, et n'ayant rien à perdre, n'ayant jamais craint de perdre l'autre puisque l'autre, elle l'avait ingéré depuis longtemps, elle pouvait se comporter en souveraine. Garbo était heureuse avec elle-même, et c'était davantage qu'inacceptable, pire qu'impardonnable, cela devait être impossible. Le complot contre Garbo c'est d'avoir fait d'elle, à travers livres, articles et documentaires, un être malheureux. Une princesse souffrante enfermée malgré elle dans une tour d'ivoire. On en a fait une « recluse » – alors qu'elle sortait, dînait avec des amis, voyageait avec des proches. Une femme passant sa vie dans la pire des solitudes – alors qu'elle était entourée. On l'appelait même le « fantôme » de New York, terme qui portait en lui le désir de la tuer, cette femme qui se refusait à tous – il valait mieux la voir morte, expliquer son manque de désir pour eux par le fait qu'elle n'était qu'un corps mort, plutôt que d'être renvoyé à sa propre inexistence à ses yeux. On avait dit, écrit, filmé, à quel point elle était malheureuse hors des plateaux, à quel point les quarante-neuf ans durant lesquels elle n'avait pas tourné étaient une tragédie. On en avait fait un personnage tragique, alors qu'elle n'avait peut-être jamais été aussi heureuse : elle avait achevé sa métamorphose en image fixe, et pouvait désormais se consacrer à la collection d'autres images, objets, costumes. C'était ce bonheur-là qui était tellement effrayant pour ces êtres interdépendants qui, dès lors, ne pouvaient supporter sa différence, et la voyaient comme une *weirdo*, parce que la solitude reste l'ultime tabou dans la société des hommes. Tous vivaient en couple, tous avaient besoin d'une famille, tous supportaient les plus douloureux des compromis à condition de rester liés les uns aux autres. Pas elle. Jamais elle n'avait accepté la moindre compromission. On le lui a fait payer. Au fond, les hommes n'avaient fait que projeter sur elle leur incapacité à vivre seuls : elle souffrait, forcément – elle était une anomalie de la nature, forcément. Comment aurait-il pu en être autrement ? Elle était hybride. C'est ce secret qu'on lui a fait payer. Elle vivait selon ses propres règles dans un parfait dialogue entre elle et elle-même. C'était sa force, en tant que femme et en tant qu'actrice. Elle fut la plus grande star de cinéma parce qu'elle était sans cesse elle-même à l'écran et l'autre à la fois, le personnage, l'autre femme qu'elle ingérait tellement parfaitement, tellement naturellement, qu'elle rendait le mot « jouer » obsolète ; et puis elle avait le pouvoir de devenir aussi cet autre, le spectateur, celui qui la regardait. Et plus elle s'aimait, plus elle projetait cet amour-là sur les autres, qui l'aimaient à leur tour. Elle devint l'écran et l'image qui s'y projette. « Elle fut la fondatrice d'un ordre religieux appelé cinéma », disait d'elle Fellini. Une femme-cinéma. L'ombre et la lumière enfin réconciliées en un même corps.

Alors elle avait passé sa vie à accumuler les vêtements. Des centaines de robes qu'elle ne portait pas. Et puis des pantalons, des manteaux d'homme. Elle avait des vêtements pour tous ses êtres intérieurs, pour chaque facette de sa personnalité, pour que chacun, en elle, puisse s'y retrouver.

La première fois qu'elle se rend chez Azzedine Alaïa, c'est à la fin des années soixante-dix. Il a installé son atelier rue de Bellechasse, et elle accompagne son amie Cécile de Rothschild qui s'y rend pour un essayage. « Monsieur Alaïa, madame Garbo est là », lui dit sa vendeuse. « Je t'en fiche de Garbo ! Tu te fous de moi ? » répond le couturier sans voir que la star est assise sur le canapé derrière lui. Elle le regarde de ses yeux calmes, elle se tient la tête d'une main, elle porte un grand pull, un pantalon étroit, des chaussures plates. « Sa présence impressionnait car son visage était impressionnant. Elle était chic, elle avait une allure chic, peu importe ses vêtements. Elle m'a appris que l'allure, c'est la simplicité », se souvient le couturier. En le voyant intimidé, gêné de crainte qu'elle n'ait entendu, Cécile de Rothschild s'amuse : « Je ne vous présente pas tout de suite. » Inutile, il sait qui elle est. Elle reviendra à plusieurs reprises, pour des tuniques en jersey, des pantalons, des manteaux. Et un jour, elle lui commande un manteau un peu spécial, un manteau qui serait extrêmement ample, avec un grand col comme un pardessus d'homme, « un énorme manteau », me raconte Alaïa, « alors que la mode, c'était des petits manteaux façon Courrèges en gabardine raide, toutes les maisons faisaient ça. Je me suis dit que ce manteau serait terriblement démodé ». Peu importe la mode. Garbo savait ce qu'elle voulait. Et ce qu'elle voulait, c'était un « manteau énorme ». Bleu noir. Un manteau où elle aurait pu tenir à deux.

Le manteau de Greta Garbo que j'avais acheté était large lui aussi. Surtout dans le dos, comme une cape. Une cape de super-héroïne, la cape de Fantômette, une cape comme une grande aile d'oiseau greffée au corps humain sur le dos et qui le métamorphosait en chimère. J'adorais porter le manteau de Garbo, j'avais toujours conscience qu'elle l'avait choisi, que ce manteau était le sien. Je le portais d'ailleurs à chaque occasion spéciale, chaque jour où je me sentais heureuse, chaque fois qu'un beau soleil dans un ciel d'hiver promettait le plaisir. Pour autant, le manteau n'était pas devenu mien. Il ne le deviendrait sans doute jamais – et alors ? J'avais fini par comprendre qu'on ne peut jamais occuper la place d'une autre, qu'il est vain de passer sa vie à vouloir s'approprier la place d'autrui comme si cette place avait un jour été la sienne, comme si elle avait été usurpée et qu'en la reprenant, on réparait un manque ancien, une

149

spoliation de l'enfance. La vie n'était pas une histoire de reconquête, sinon l'on risquait de passer son existence à ne pas la vivre. Sa place, il fallait se la réinventer. Le manteau de Garbo ne deviendrait jamais le mien, mais il avait étrangement déteint sur ma garde-robe. Je m'étais mise à acheter des robes rouges. Je passais du noir au sang, de l'extinction à la guerre, de l'invisibilité à l'exposition, du voyeurisme à la scène. Ne m'étais-je pas offert la peau d'une actrice ?

A ses débuts, Azzedine Alaïa découvre Arletty dans *Hôtel du Nord* : « Arletty dans ses films, comme dans la vie, m'a beaucoup inspiré. Déjà Schiaparelli était frappée par sa beauté et lui avait proposé de l'habiller. Arletty me disait qu'elle n'avait gardé aucun de ces vêtements car Schiaparelli lui faisait déposer chaque matin des tenues pour la journée, et chaque après-midi des robes du soir, et elle les reprenait le lendemain pour les défilés. Arletty a été habillée par Paul Poiret, Madame Grès. C'est une femme qui donnait un ton, un style au vêtement. Un ami à moi, Frédéric, qui était coiffeur chez Alexandre, avait l'habitude de la coiffer. Un soir, il vient dîner chez moi – j'habitais alors rue des Marronniers, dans le XVIe – et je lui raconte que la veille, j'ai vu *Hôtel du Nord*. J'avais été frappé par la voix d'Arletty : une vraie voix parisienne, un timbre qui n'existe dans aucun pays. Et sa silhouette parfaite, quand elle zippait sa petite robe… Il me dit qu'il doit s'absenter justement une heure pour aller la coiffer au théâtre, et je lui ai demandé de m'emmener. Elle était dans sa loge, s'est tournée vers moi, et m'a demandé comment je m'appelais. Elle m'a dit "jeune homme, vous avez un très beau nom, un nom d'affiche, qui commence par AA. C'est bénéfique". Alors elle se tourne vers Frédéric et lui dit "tu vois, ce garçon, il est petit, mais quand on l'a rencontré, on ne l'oublie pas". Et elle m'a demandé de lui faire, comme elle disait, "un petit paletot". Elle habitait rue Raynouard, à deux pas de chez moi. Après elle m'a demandé de lui faire un tailleur pour le soir, on est devenus amis et on se voyait tout le temps. J'ai beaucoup appris d'elle. Par exemple, elle ne portait pas de bijoux, et me disait : "Je suis vierge de toute décoration." Elle m'avait aussi dit : "Une Parisienne ne porte pas de bijoux mais des accessoires", et cette phrase m'a servi quand j'ai fait mon premier défilé. J'ai simplement créé un escarpin, des ceintures et des collants. Et après j'ai fait de la maille pour un thème inspiré par ce qu'elle porte dans *Les Visiteurs du soir*, un imprimé papillon inspiré d'un de ses maillots dans un autre film, et je me suis inspiré de la robe zippée qu'elle porte dans *Hôtel du Nord*. Beaucoup de choses, dans mes collections, viennent d'elle. »

Vierge de toute décoration : Garbo non plus ne portait aucun bijou. Seulement le haut diadème de ses sourcils aristocratiques qui conférait à son visage une certaine autorité. Une femme qui porte des bijoux veut-elle se montrer « décorée » ? Montrer aux autres qu'elle a « mérité » ? Chez moi, j'avais dédié un petit meuble aux bijoux que j'adorais mais que je ne portais pas. Collier art déco frangé de strass, longues manchettes en métal doré, pesantes boucles d'oreilles gothiques, sautoirs de perles, bracelets d'argent, bagues imposantes... Ces décorations, je ne les portais jamais car tôt ou tard, elles m'encombraient. Elles étaient comme une entrave. J'avais besoin d'avancer allégée de ces jolis liens de perles, de pierres, ces colliers, sautoirs et bracelets qui ressemblaient à des chaînes. C'était aussi beau qu'effrayant, les liens, c'étaient autant de liens affectifs et amoureux que des signes d'emprisonnement, d'esclavage. C'était être réduite à la volonté des autres, d'un autre. Et la solitude consistait à éviter de l'être trop – ou était-ce cela la liberté, et était-ce cela qui, dans la liberté, faisait si peur ?

Deux photos de Louise de Vilmorin par Cecil Beaton : l'une la montre dans son salon, en jupe longue dans un divan profond, les cheveux défaits, son cou ruisselle de colliers de perles et de chaînes ; sur l'autre, elle est saisie de trois quarts, une cigarette à la main, elle porte un caftan de soie, sur son bras une accumulation de bracelets, autour de son cou une accumulation de colliers, et des boucles d'oreilles. On dit qu'elle avait un talent de « conteuse ». Elle savait manier les mots et jouer de sa voix pour ensorceler. Elle avait érigé la séduction au rang d'art. Le fruit sophistiqué du mariage de la civilisation et de la culture. La nature, reléguée, enfouie derrière une apparence domestiquée. La femme à bijoux croit exhiber des décorations sans voir qu'elles ne récompensent qu'un mérite : celui d'avoir gagné sa guerre contre sa nature, sa part d'innocence.

« J'étais à Paris depuis seulement deux mois quand je l'ai rencontrée chez Simone et Bernard Zehrfuss. Louise de Vilmorin arrive et me demande d'écrire mon nom.

Elle aussi me dit que mon nom est joli. Trois jours après, un samedi matin, elle m'appelle pour m'inviter à dîner chez elle, à Verrières-le-Buisson. "Je sais que vous êtes fauché et que vous ne pouvez pas prendre un taxi pour venir à Verrières, alors mon chauffeur viendra vous chercher." Arrivé dans son salon bleu, mon cœur battait à tout rompre de timidité. Tout de suite elle a senti que je n'étais pas à l'aise, que je ne connaissais personne, et elle m'a pris sous son aile, m'a placé à côté d'elle à table et m'a présenté à tout le monde. Elle venait tous les jours chez moi, rue de Bellechasse. J'ai assisté au retour de Malraux dans sa vie, alors qu'elle ne l'avait pas revu depuis trente ans. Elle lui envoyait des lettres accompagnées de bonbons et de chocolats en me disant "les hommes aiment les sucreries, alors il faut leur en offrir". Parfois il venait la chercher chez moi, et nous allions dîner tous les trois, il parlait énormément, il était passionnant. Elle, c'était un style français fantastique : beaucoup d'allure, beaucoup d'inventivité. Son salon, c'était le dernier salon avec celui de Marie-Laure de Noailles. Le sien était beaucoup plus sympathique car c'était le plus mélangé, elle invitait des gens de tous milieux. Je me souviens même qu'une fois, alors que nous prenions un verre au Flore, elle a invité le serveur car elle le trouvait intéressant. Ce soir-là, chez elle, j'ai rencontré Diana Cooper, Claudette Colbert qui par la suite est venue s'habiller chez moi et qui était très drôle, deux ministres, un prêtre... Louise, je lui ai fait beaucoup de tailleurs, des manteaux, parfois des jupes, des robes moins. »

Grande bourgeoise éthérée dont l'excentricité ne faisait partie que d'un tout visant à séduire, elle maîtrisait l'art d'émerveiller. Elle savait jeter de la poudre aux yeux, une poudre d'or magique qui la nimbait d'une aura enchanteresse, puis elle se réfugiait dans son boudoir où elle pouvait manier des onguents et des parfums, des fards et des poudres, des sautoirs et des broches. Les hommes, il fallait les enchanter – ne jamais se montrer vulgaire ni vulnérable. Ne jamais faiblir, ou à bon escient, comme une arme cosmétique dont on se pare pour mieux gagner. Faire de soi une Eve future. A Malraux, qu'elle voulait reconquérir, elle faisait porter par son chauffeur plusieurs lettres par jour. « Et Malraux lui répondait à chaque fois. Il lui écrivait aussi beaucoup », raconte Alaïa. Un jour, sa femme de chambre lui dit : « Madame, toutes ces lettres, n'est-ce pas un peu trop ? » Et Louise de lui répondre : « Peut-être, mais cette fois, c'est du lourd. » Et elle reconquiert Malraux. Il brille au centre de son salon, cette scène qu'elle s'est créée pour s'y produire comme une actrice. Mais le regard des autres, à trop le désirer, est une chaîne trop lourde à porter. Pour se faire maigrir, elle avale trop de pilules diurétiques et meurt en 1969 à l'âge de soixante-sept ans.

M'aimait-il, me demandais-je, m'avait-il seulement aimée ? Et cette question deviendrait, avec le temps, une lame de poignard brisée à même la chair, qui la gangrène en se putréfiant elle-même. Nous n'allions plus nous retrouver au Cadogan, je commençais enfin à le comprendre, mais je continuais, malgré tout, à rêver. Un rêve prolongé en vêtements que j'accumulais au cas où je le retrouverais, me mettant en scène mentalement, traversant le hall de l'hôtel pour le rejoindre comme je l'avais fait tant de fois. Je continuais à m'acheter des vêtements de plus en plus irréels, ceux d'une héroïne de conte de fées alors que le conte s'était désintégré.

« M'aime-t-il ? me demandais-je. L'amour qu'autrui nous porte ne nous paraît évident que lorsque nous ne le partageons pas. Si l'on aime, on en ressent l'angoisse et si l'on est aimée en retour, cette angoisse se mêle au bonheur et un doute subsiste. Je ne me savais pas aimée », confie Coco Chanel à Louise de Vilmorin pour un livre qui restera inachevé, *Mémoires de Coco*. Les deux femmes se sont rencontrées quelques mois plus tôt à Venise. Elles se plaisent, décident d'écrire ensemble les mémoires de Chanel jusqu'au moment où, après de longues séances de travail, Louise commence à comprendre que Coco lui ment, qu'elle trafique son histoire, qu'elle ne fait que se servir d'elle pour imprimer sa légende. Elles se brouilleront un temps – Chanel, jamais facile, toujours prête à se fâcher, l'a déjà renvoyée. « Je me suis réconcilié avec Denise, Edouard et Coco », note Cocteau dans une lettre à Louise. « Je déteste les brouilles. C'est, d'après ton propre terme : un échec. » Lui aussi a voulu écrire la biographie de Chanel et lui aussi a failli se brouiller avec elle. Mondain, snob, ce « prince frivole » s'enferme de plus en plus dans l'opium, dans l'ombre de son appartement de la rue Vignon aux murs peints en noir, ou dans la cave tendue de velours sombre des jardins du Palais-Royal qu'il occupe durant la guerre. Il y écrit *La Belle et la Bête*, met en scène ce lieu de l'enfermement où évolue un monstre, mi-homme, mi-bête, dont le corps se met à se consumer sous le regard de celle qu'il aime, et dont il doute d'être aimé. Dans *Les Enfants terribles* (1929), déjà, des adolescents se retranchaient des autres, du monde et de la lumière en s'enfermant dans les ténèbres de leur appartement ; homosexuel, tous ses livres, du *Grand Ecart* (1923) au *Livre blanc* (1928), parleront de clandestinité, de monde parallèle où évoluer, d'un rêve où pouvoir se déployer, enfin, tel que l'on est. Les monstres, telle la Bête, savent qu'il faut vivre à l'ombre pour survivre, trouver refuge dans un château coupé du temps et de la raison. La Bête vit dans les marges du réel, le merveilleux, et pour encore mieux se cacher, se pare d'élégances, velours ostentatoire et diamants, images magiques et pouvoirs enchanteurs, et reste seule, prisonnière d'elle-même et de sa frivolité car « la frivolité est la plus jolie réponse à l'angoisse ». Un mince fragment témoigne de la tentative de Cocteau d'écrire autour de Chanel, deux pages fulgurantes écrites au « je » comme s'il s'agissait d'un autoportrait, où la Belle et la Bête se confondent enfin en un seul corps. Pas étonnant que la dernière phrase sonne comme une fatalité : « Chasnel, dite Chanel. Seule au monde. »

Chanel avait propagé dans le monde entier des masques à son image, avait réinventé la peau des femmes en leur permettant de réinventer leur place dans le monde : affranchies. Libres de leurs mouvements, capables de s'autosuffire. Seules. Seule, elle n'avait pas eu d'enfants, ne s'était jamais mariée, et tous les hommes qu'elle avait aimés étaient morts brutalement ou l'avaient quittée.

Réinventer la femme, la faire renaître dans une peau neuve cousue de la peau des autres, prendre la place du Créateur – quel prix à payer ? Christian Dior était mort d'une crise cardiaque à cinquante-deux ans. Yves Saint Laurent avait sombré dans la dépression, la drogue et les médicaments, se terrant chez lui, n'ayant plus qu'un désir : visionner en boucle *Les Dames du bois de Boulogne* de Bresson pour une Maria Casarès habillée par Chanel. Alexander McQueen s'était suicidé à l'âge de quarante ans. John Galliano, épuisé, imbibé de drogue et d'alcool, s'était mis à délirer des insultes antisémites et s'était fait virer de Dior. En quittant la maison Saint Laurent, devenu accro à l'alcool et à la cocaïne, Tom Ford avait dû entamer une cure de désintoxication. Karl Lagerfeld clamait qu'il n'avait pas de vie privée. Christophe Decarnin avait dû quitter Balmain à cause d'une dépression. L'Wren Scott s'était pendue avec un foulard. Et Jean Paul Gaultier pleurait en regardant son film préféré, *Falbalas* de Jacques Becker (1945), inspiré de la vie de Jacques Fath (mort d'une leucémie à quarante-deux ans en 1954), quand, à la fin, le couturier sombre dans la folie et les hallucinations. Confondant son mannequin de plastique sur laquelle il drape ses robes avec la femme qu'il aime, il l'enlace et se jette avec elle par la fenêtre.

Alexander McQueen naît Lee Alexander McQueen en 1969. C'est un gamin des quartiers populaires de Londres, il grandit à Brixton, son père est chauffeur de taxi, sa mère enseignante. Il travaille chez les tailleurs de Savile Row, sort diplômé de Central Saint Martins, Isabella Blow, diva de la mode, le repère et le lance, puis Bernard Arnault l'engage chez Givenchy. Et voilà le jeune rebelle anglais qui hantait les clubs d'acid house de Soho, y fréquentait les prostitués et toute une clique de marginaux, catapulté dans le monde du luxe parisien. C'est l'histoire éternelle d'un jeune artiste fracassé contre la paroi tranchante de ses rêves réalisés, recommençant la tragédie de l'art foudroyé par le marché. John Galliano naît Juan Carlos Antonio Galliano Guillen à Gibraltar en 1960. Comme Alexander McQueen, il grandit dans les faubourgs défavorisés de Londres, son père est plombier, il cache son homosexualité à la maison et à l'école de peur d'y être maltraité ; comme McQueen, il fait Central Saint Martins à Londres. Peu avant McQueen, il connaît la même ascension, et un an après le suicide de McQueen, il connaît aussi la chute. La drogue et l'alcool pour tenir le coup, oublier la violence de l'extérieur, du valium pour ne pas trembler lors des essayages, des somnifères pour pouvoir dormir, pour ne pas souffrir du jet lag alors qu'il voyage constamment. Une fuite en avant cocaïnée et médicamentée pour tenir sous la pression d'un marché de plus en plus dévorant. Galliano, pour sa marque comme chez Dior, présente des défilés de plus en plus théâtralisés : des femmes comme des mannequins de cire, broyées par des corsets, défigurées par des maquillages outranciers mais fleurs vénéneuses sublimes qui accouchent toujours d'un être étrange : Galliano himself, grimé en pirate ou en chevalier, qui multiplie les masques au risque de se perdre. Cet art du camouflage, il l'a appris dès l'enfance, pour cacher sa sensibilité un peu trop « homosexuelle » pour les autres.

« On me faisait comprendre que je n'étais pas normal. Si c'était un peu trop visible – paf, une baffe ! C'était la culture de mon père, une éducation victorienne, et c'était comme ça », confie-t-il à *Vanity Fair*. À l'école, il subit moqueries continuelles et passages à tabac. « Oh, j'ai appris à ruser grâce à ça, glisse-t-il tristement. Je me débrouillais pour trouver quel train ou quel bus partait plus tôt pour ne pas me faire casser la figure par les autres. Cacher les bleus, cacher les blessures, rentrer à la maison et ne pas pouvoir en parler parce que j'aurais pris le reste. » Alors de nouvelles peaux lui sauvent la peau. Un jour pirate, le lendemain Indien, un autre personnage de Dickens. Et plus tard, il devient « John Galliano » en transposant ce désir de travestissement aux femmes. Il ne les habille pas seulement, il fait de chacune d'elles une héroïne de roman : « Je n'étais plus Naomi quand je faisais ses défilés. J'étais le personnage qu'il voulait que je sois », raconte Naomi Campbell. Il aborde la scène du défilé comme une scène de théâtre, où il peut inventer d'autres vies que la sienne.

Il dîne seul, chaque soir, dans un bar en bas de chez lui, La Perle, dans le Marais. C'est là qu'un soir, ivre, drogué, il craque, et à des gens qui l'agressent comme il fut agressé toute son enfance, il dit n'importe quoi – insultes physiques et antisémites. On le condamne. Ce qui choque aujourd'hui, c'est qu'on n'ait pas condamné ceux qui ont diffusé cette vidéo amateur faite avec un téléphone portable volant un moment de la vie privée d'un être humain (qui n'a plus toute sa tête, qui est en train de se suicider, qui est dans un état criant de détresse, à qui l'on devrait plutôt porter secours). Face à l'antisémitisme des propos fous d'un Galliano ivre, un nouveau fascisme – qui, pourtant, passera inaperçu – est en train de s'affirmer : celui de la transparence, rendue possible grâce à la technologie alliée au spectacle, au voyeurisme et à la prostitution des images (ceux qui l'ont filmé ont essayé de vendre leurs images aux médias, avant de les diffuser sur le Net), ce brouillage obscène entre vie privée et vie publique, et l'annihilation, par cet événement, de cette frontière qui aurait dû rester infranchissable. Le « monstre » est exhibé en place publique par le biais d'un film-réalité qui lui fait la peau en se vantant de lui arracher ses masques.

« John Galliano fut le premier à avoir créé cet univers de star de la mode, donc c'était le moins protégé, il en a essuyé les plâtres, c'était une sorte d'agneau sacrificiel. Il a vraiment participé, dans tous les sens, à l'histoire de la mode. »
(Interview de Giambattista Valli.)

LVMH renvoie Galliano de Dior, et propose le poste à Azzedine Alaïa, qui refuse.

« Que pensez-vous de l'évolution de la mode aujourd'hui ?
— Les stylistes sont écrasés de travail : ils ont un trop grand nombre de collections à produire par an. Cette surcharge de travail tue toute possibilité d'avoir des idées fortes et de changer la mode. C'est aussi pourquoi ils craquent tous, ils subissent beaucoup trop

de pressions. Et puis il y a trop de monde à travailler sur une collection. Avant, les couturiers faisaient tout, ils avaient bien des assistants, mais ça s'arrêtait là. Maintenant il y en a un qui fait l'homme, l'autre les chaussures, un autre encore les bijoux… C'est trop. » (Interview d'Azzedine Alaïa.)

« Entre ma marque et Dior, je faisais trente-deux collections par an », déclare Galliano le soir où il passe dans l'émission du journaliste américain Charlie Rose, pour expliquer l'épuisement psychique et physique qui l'a mené à l'alcoolisme, puis à ce torrent de violence verbale : « J'avais peur de dire non à ce petit monde car je craignais de me montrer faible. Alors je disais oui à tout. » Ce soir-là, Galliano apparaît démasqué – ou s'agit-il encore d'un énième masque, celui qui sied à la personne qui demande pardon ? Cheveux sobrement plaqués, chemise bleu clair, simple blazer marine. Quand le journaliste lui montre des photos de lui dans ses multiples tenues, et lui demande ce qu'il voit, Galliano répond : « Je peux voir la joie mais je peux voir aussi le malaise. Produire des collections comme ça, ça prend tellement de vous… On ne dort pas pendant plusieurs nuits, c'est une pression énorme, et puis les interviews, trente-cinq équipes de télé qui filment backstage. Et moi, obligé de continuer. » Les pulsions cachées, la peur d'être démasqué, se changent en haine, et puis un jour, il avait explosé. « D'une certaine manière, heureusement que j'ai eu cette crise, elle a été le signal d'alerte et m'a permis de me soigner. Sans ça, je serais mort. »

« What does fashion mean to you ?
— My life. »
(Isabella Blow)

Alexander McQueen se suicide le 11 février 2010 à Londres.

« Je connaissais Alexander. Je connaissais ça. J'ai compris cette solitude, cette souffrance. Comme *addicts*, nous mettons la barre très haut. J'ai compris son geste », déclare Galliano. Isabella Blow, la rédactrice de mode qui l'avait découvert, s'est suicidée trois ans plus tôt en avalant le contenu d'une bouteille de désherbant. McQueen est le dernier de six enfants ; l'invisible, qui se camouflera plus tard dans les rondeurs d'un corps protecteur, comme s'il avait accumulé autour de lui plusieurs épaisseurs de matière pour se faire disparaître — ne pas se faire repérer, percer à jour, percer tout court. L'un de ses premiers défilés, « Highland Rape », choque la critique : des mannequins aux corps fragiles y défilent avec des robes déchirées, la peau blessée et souillée, comme les victimes d'un viol, qui renverraient aux spectateurs l'obscénité de leur inaction. On l'accuse de misogynie. Plus tard, on lui reprochera de transformer les femmes en *drag queens*, de meurtrir leur féminité. Lors d'un défilé pour Givenchy, il fait patienter l'audience face à de hauts miroirs, avant de les transformer en faux miroirs sans tain derrière lesquels des mannequins pâles se meuvent comme les hystériques de Charcot, prisonnières d'une cage, prisonnières du défilé et du regard des autres. McQueen a coiffé l'une d'elles de trois oiseaux de proie, elle se débat, tente de les arracher, comme s'ils la tourmentaient, emmêlaient leurs serres à ses cheveux pour mieux atteindre ses yeux et les lui arracher. Au centre, une grande boîte close, mise en abyme qui contient le secret, l'image concentrée du cauchemar auquel on assiste. A la fin, les parois de la boîte tombent : s'en échappent des dizaines de phalènes, découvrant le corps obèse d'une femme nue, un masque à oxygène au visage, femme-phalène en gestation, en attente de sa métamorphose – métaphore de la monstruosité faite aux femmes, leur enjoignant de se métamorphoser en image parfaite ?

Lors d'un autre défilé pour Givenchy, un mannequin qui semble terrifié, vêtu d'une crinoline blanche, est entouré de deux robots en forme de bras armés la mitraillant de peinture – une femme violée par deux hommes ? S'agissait-il, pour Alexander McQueen, de répéter une scène primitive, traumatique ? Avait-il été le témoin ou l'objet d'une forme de viol, qu'il répétait continuellement pour l'exorciser ?

Il est seul dans son appartement de Mayfair. Il vient d'avaler un mélange de cocaïne et de somnifères. Il laisse une note dans un livre de dessins, « Please look after my dogs. Sorry. I love you », puis il va se pendre dans sa garde-robe. Il se pend dans sa penderie parmi les autres vêtements qui y sont pendus, devenant, par la métamorphose que lui offre la mort, un vêtement parmi les autres. Le vêtement parfait, qu'il a toujours cherché à créer, qu'il a répété à travers des centaines de robes, des dizaines de défilés, il vient enfin de l'achever : l'ultime vêtement, c'est son corps mort. Il a enfin accompli ce qu'il a répété toute sa vie, ce devenir-vêtement qu'il a projeté sur une multitude de corps de femmes mais qui ne concernait que le sien, il est enfin devenu ce qu'il croyait être, cet « être » qu'il avait répété de défilé en défilé : une peau morte, un contenant sans contenu, un vêtement qu'on retourne comme un gant, une peau qu'on pénètre, un corps objet qu'un autre pourrait habiter, le corps devenu mort, déchet, objet, dès lors qu'il est pénétré par un autre contre son gré.

Tôt ou tard, nous avions tous éprouvé la sensation de n'être qu'une chose morte, qu'on utilise et puis qu'on jette. Enfant abandonné par un parent, adolescent violé, adulte réduit à la misère, femme amoureuse quittée pour une autre, toujours et continuellement nié, laissé pour compte, renvoyé au néant par l'indifférence d'un autre. Nous n'étions devenus, en un moment maudit, rien de plus qu'une robe vide gisant sur un trottoir désert. Alors nous avions répété cette sensation à travers une accumulation de vêtements, nous entourant de ces étoffes vides comme un autoportrait ; nous pouvions les remplir de notre corps, de nos battements de cœur, de notre chaleur, conjurant ainsi le sort, cette malédiction qui nous avait réduits à n'être plus rien que de la matière morte. Nous insufflions par notre présence un peu de vie à cette enveloppe d'étoffe inerte, comme si nous décidions de nous habiter enfin nous-mêmes, de recréer la vie qui nous avait été enlevée – nous mettions en scène ces peaux mortes qu'étaient nos vêtements comme le mirage d'une existence dont un autre nous avait privés d'un geste ou d'un mot. Nous errions en conjurant notre vide en comblant le vide d'une robe. La robe sur le dos, nous l'animions de nos gestes et de notre souffle et il suffisait de cette mascarade, de ce petit théâtre de la vie ressuscitée, pour nous faire croire que nous vivions un peu à notre tour. Tel le rituel funèbre des Egyptiens, le vêtement nous aiderait à traverser la vie en nous « rassemblant ». Mais ce n'était qu'une illusion d'optique. Nous errions toujours en attente d'un corps, du corps qu'on nous avait confisqué et qui, enfin restitué, se glisserait à l'intérieur de notre peau, comme on enfilait une robe, pour nous habiter à tout jamais, et nous arrimer à ce qu'on appelait une vie. Mais où était-il ? Où était passé ce corps qui nous manquait pour vivre enfin pleinement ?

Billy Wilder détestait les stars. Dans *Fedora,* il fait dire à un William Holden vieillissant : « Vous savez ce que signifie pour une femme d'être une star… », et Fedora, la star en fauteuil roulant, complète sa phrase : « Suave à l'extérieur, froide et calculatrice à l'intérieur. » Dans *Sunset Boulevard* (1950) et dans *Fedora* (1978), Billy Wilder les humilie en les faisant courir après leur image défunte, les fait souffrir de se voir séparées de leurs corps de cinéma auxquels elles ne correspondront jamais plus. Mais dans *Fedora,* la star, après avoir été défigurée par une énième opération de chirurgie esthétique, va plus loin que la pauvre Norma Desmond de *Sunset Boulevard* : incapable de renoncer à sa gloire au cinéma, elle déguise sa propre fille en elle-même, Fedora, et l'envoie jouer ses rôles ou recevoir ses prix à sa place. Fedora n'est plus une actrice, c'est devenu un signe, qu'il faut maintenir en vie coûte que coûte, et que n'importe quel corps peut habiter comme un vêtement. Dans *Sunset Boulevard* et dans *Fedora*, les deux icônes ne rendaient hommage qu'à une seule actrice : Garbo. Car si Wilder méprisait les stars, il adorait Garbo, et s'il l'admirait plus que les autres, c'est parce qu'elle fut la seule à renoncer au signe « Garbo », se retirant elle-même des studios. Fedora, au fond, n'a pas de corps : elle n'est réductible qu'à ses vêtements. Et Wilder s'était inspiré du style de Garbo – chapeaux, foulards, lunettes noires, costumes, chemises d'homme, pantalons larges, chaussures plates, coupe au carré, voix grave – pour la façonner, parce que le style de Garbo était devenu lui-même un signifiant, celui de « star ». A la fin, pour se libérer de l'enveloppe « Fedora », la fille de l'actrice n'aura qu'une issue : elle se jette sous un train et broie son propre corps.

Ils étaient là, seuls, abandonnés dans un coin désert d'une vaste pièce, dépassant de boîtes en carton entrouvertes, ou accrochés dans le désordre sur des portants, tellement serrés les uns contre les autres qu'on pouvait à peine les distinguer. Il suffisait de franchir une porte battante chez Julien's pour accéder au désenchantement des coulisses, une vaste remise où attendaient les vêtements des stars mortes. Parmi un désordre d'objets posés à même le sol, ou empilés les uns sur les autres, le reste de la garde-robe de Garbo, tous ses vêtements qui n'avaient pu être exposés faute de place, attendaient d'être vendus. Face à eux, ceux de Michael Jackson attendaient que leurs propriétaires viennent les chercher pour les emmener dans leur nouvelle demeure. Sans les lumières de l'exposition, sans avoir été assemblés sur des mannequins, ils redevenaient des bouts de tissu défraîchi, un tas de vêtements de seconde main, un empilement de fripes hétéroclites, résidus mélancoliques et poussiéreux d'un autre temps, sans forme, sans vie, sans réelle valeur, accrochés en vrac sur des cintres de fer comme dans n'importe quelle brocante, et auxquels, dans n'importe quelle brocante, on n'aurait guère fait attention si l'on n'avait pas su que le corps de Garbo les avait traversés.

Où est le corps ? C'est ce que revenait demander chaque jour mon arrière-grand-mère, peu après le génocide d'un million et demi d'Arméniens, aux gardiens des geôles turques où avait été incarcéré mon arrière-grand-père. L'un de ses amis, qui avait été relâché en trahissant les siens, lui avait promis que les Turcs le libéreraient aussi si elle acceptait de leur donner une certaine somme d'argent. Elle la lui remit, mais l'ami disparut avec l'argent et mon arrière-grand-père était resté en prison. Il n'en sortirait, d'ailleurs, jamais. Nul ne saurait ce qu'il était advenu de son corps. Un mort sans sépulture à la base de notre histoire – un corps qu'on n'a jamais vu mort hante les vivants sur des générations, qui se transmettent son absence sous forme de non-dit, et consacrent leur existence à répéter le manque d'un corps auprès du leur, et le manque de mots dans la narration, forcément trouée, fragmentée, de leur vie. Un gardien eut pitié d'elle. Il avait conservé la chemise du mort, et face à la détresse de la jeune femme, la lui rendit volontiers. Alors elle prit le vêtement et l'enterra à la place du corps.

II.

Leurs corps s'étaient désintégrés depuis longtemps et pourtant ils projetaient encore leurs ombres sur nous, petits vêtements tissés dans le noir de leur mort, aussi impalpables que l'abysse – ou était-ce nous qui les revêtions pour leur donner un semblant de vie, contredire leur mort parce que l'accepter, c'était accepter leur massacre. Ils avaient été déportés, en masse, dans le désert. Rien ne se racontait d'un peuple réduit au néant – les rescapés ne se racontaient rien pour mieux s'adapter à leur nouvelle vie, pour ne pas entraver leur descendance vers une intégration possible –, rien, sauf cette image que tous se transmettaient en baissant la voix : ces femmes enceintes éventrées vives, à qui l'on retire l'embryon qu'elles portent, parfois même le bébé déjà formé, sanguinolent, et qu'on égorge sous leurs yeux, ou alors qu'on abandonne dans le désert, sous le soleil implacable du désert, laissant à ceux qui virent cette mort-spectacle une image mentale indélébile : ces petits corps inachevés brûlant sous le soleil, se consumant à petit feu. Ils avaient dû se couvrir de plaques rouges, de plaques sèches, de croûtes purulentes, et puis des lambeaux de peau morte s'étaient détachés de leur corps ;

ils avaient dû se dessécher sur place, se recroqueviller sur place, leur peau vieillissant prématurément comme s'ils avaient revêtu un petit déguisement grotesque. De la vapeur s'était lentement élevée de leur chair calcinée : ils s'étaient mis à brûler à force d'être exposés en pleine lumière. Et puis ils étaient partis en fumée.

Alors qu'avec sa mère elle fuyait l'Arménie pour gagner Marseille, ma grand-mère, âgée de cinq ans, demandait à chaque homme en uniforme s'il n'était pas, par hasard, son père. Quelques mois auparavant, quand il l'avait embrassée avant de partir, il portait un uniforme, et puis il n'était plus revenu. On ne pouvait pas parler à un enfant du génocide, alors on ne lui avait rien dit et elle s'était crue abandonnée – et, dans sa tête, elle avait maintenu son père en vie dans l'espoir qu'il reviendrait. Elle allait, sur le paquebot qui les menait en France, d'homme en homme, leur demander s'ils étaient son père. Me reconnaissez-vous ? M'aimerez-vous inconditionnellement et pour toujours comme un père devrait aimer sa fille ? Mais ces petits miroirs lui renvoyaient toujours, et fatalement, une absence. Une absence d'image.

Mon arrière-grand-mère avait enterré la chemise de son mari à la place de son corps, petit fétiche, artefact d'un corps qui avait pris la place du vrai. Plus tard, sa fille épouserait un homme qui deviendrait tailleur et ouvrirait un atelier de confection, où ses propres filles travailleraient comme elle-même aurait travaillé dans la grande ferme de vers à soie que sa famille possédait à Bursa depuis des générations. Un ver à soie s'entoure d'un fil d'une longueur de 1,5 kilomètre pour former son cocon. On en récupère la soie en brûlant le ver à la vapeur, puis on l'en extrait et l'on recycle son cocon vide pour en faire, plus tard, des vêtements. Dès l'âge de quatorze ans, retirées de l'école, ma mère et ses sœurs avaient cousu des centaines, des milliers, des millions de robes qui avaient fini par ensevelir leurs vies comme la plus lourde des pierres tombales. Des robes en quantité industrielle que je voyais pendre en longues rangées, toutes identiques. Des armées de clones vides. Des armées de peaux inhabitées, comme autant de répliques dérisoires de ces millions d'êtres vidés de leur vie en quantité industrielle. Le massacre des Arméniens, premier génocide du XXe siècle, le « prototype » qui allait servir de « patron » au massacre industrialisé des Juifs vingt-cinq ans plus tard. La première moitié du XXe siècle, l'ère des massacres de masse accompagne l'essor de l'industrie, l'ère de la production de vêtements à grande échelle. D'un côté, des millions de corps humains partaient en fumée ; de l'autre, en sortaient des millions de robes. Comme si, phénomène surnaturel, la combustion des chairs engendrait une production massive d'enveloppes vides. Le corps se broie, et le système en recrache les résidus les moins comestibles : des lambeaux de peau morte. Prêts à porter.

Leurs corps s'étaient désintégrés depuis longtemps et pourtant ils étaient devant nous, jetés les uns sur les autres, inanimés, vides, formant, empilés sur plusieurs mètres, un gigantesque monument funéraire dans la Nef du Grand Palais. Une grue les soulève par grappes et les rejette plus loin, comme les pelleteuses le faisaient des cadavres des Juifs dans *Nuit et Brouillard*. Christian Boltanski leur a substitué des vêtements, une montagne, un écroulement de vêtements sans corps à la place des corps tués en série pendant la guerre ; les Allemands conservaient les vêtements des Juifs qu'ils gazaient – les vêtements étaient plus importants que les êtres. Alors Boltanski avait intitulé son installation *Personnes* : « Etre humain c'est lutter, lutter pour conserver des mémoires, conserver des humains et ça rate forcément. »

Je ne possédais rien, rien d'autre qu'un sac Chanel et des vêtements. Je venais d'un peuple qui avait été dépossédé : de ses corps, de ses terres, enfin, de sa parole puisqu'un siècle plus tard, il se trouvait encore dépossédé de son génocide par la Turquie négationniste. « Et regarde-nous, nous n'avons rien », m'avait dit une amie, arménienne elle aussi, et, elle aussi, obsédée par les vêtements, les accumulant comme une compulsion. Et c'était vrai : nous n'avions ni famille, ni biens matériels. Alors que les autres s'étaient « construit » une vie, nous ne possédions ni maison, ni voiture. Je vivais dans mon appartement comme dans une roulotte, sans les signes du confort de ceux qu'on dit « installés », comme si cela ne servirait à rien puisque je pouvais disparaître à tout instant, puisque tout pouvait basculer du jour au lendemain. Et cette amie, qui m'avait fait remarquer leur dépossession, passait elle aussi son temps à écrire, à courir après les mots, à les faire imprimer sur une page pour qu'ils ne s'évaporent plus jamais, pour que nul ne puisse les passer sous silence.

Ils ne racontaient rien. Ce n'est qu'à l'âge de vingt ans que je commencerai à les interroger. Un jour où je vais prendre le thé chez ma grand-tante pour la remercier de m'avoir donné sa robe préférée, une robe qu'elle avait gardée depuis les années quarante, je décide de la questionner sur le génocide. Elle doit avoir quatre-vingts ans, passe ses journées dans un vieux fauteuil d'où elle peut regarder la télévision, ou surveiller la rue, ou faire des réussites sur la grande table en acajou. Elle m'offre des grenades, des gâteaux aux noix et au miel, des bonbons à la cerise, du chocolat, comme toujours chez les Arméniens, un ami, un invité arrive, et la table se couvre de nourriture. « Il faut manger ma chérie », insiste-t-elle en me pinçant les joues. « Mange ! » répète-t-elle au moins dix fois. Mais je ne touche à rien, et m'arme de courage pour lui demander comment elle a vécu le génocide. Elle était enfant, je sais. Mais que s'est-il passé après ? Elle commence, calmement, par me raconter que ses frères et sœurs ont été séparés, chacun envoyé dans un orphelinat différent, dans des pays différents. Elle, elle s'était retrouvée en Grèce. Plus tard, elle ne reverra qu'un seul de ses frères. Les autres… Elle s'arrête. Elle ne peut plus parler. Ses lèvres articulent des mots qui ne sortent pas, elle porte ses mains à sa gorge, ses yeux se remplissent de larmes, elle va s'étouffer. C'est fini. Elle n'arrive plus à parler et me fait signe d'arrêter.

Pour survivre, ils avaient dû s'adapter, et pour s'adapter, il leur avait fallu muter, faire de leur corps un autre corps, le revêtir de l'apparence de ces nouveaux corps qu'ils allaient côtoyer. Ils avaient délaissé leurs vêtements trop folkloriques d'Orientaux exotiques pour adopter l'apparence vestimentaire du grand corps social qui les accueillait. Alors ils avaient revêtu des vêtements d'Occidentaux pour se mouvoir parmi eux sans se faire repérer, désigner comme « autre », corps étranger qu'on rejette ou qu'on massacre – et ils étaient devenus invisibles. Les femmes avaient coupé leurs nattes et brûlé leurs jupes longues. J'étais le produit de leur mutation : la mutation ultime, comme si la chaîne avait enfin abouti à un hybride parfait. A la fois arménienne et française. Un corps tellement rompu à l'art de l'hybridation qu'il en était devenu poreux : je pouvais me travestir en une autre femme, prendre le geste d'une autre encore, le parfum de telle, ou les souliers de telle autre. Je mutais en permanence comme des cellules malades, celles d'un caméléon humain assurant sa survie. Au risque de confondre son corps avec les autres corps auxquels elle se fondait pour que la mort ne la rattrape jamais. Une mutation tellement accomplie qu'elle n'aurait même pas besoin de se reproduire : achevant la transformation du corps familial en un corps « autre », elle n'avait même pas eu besoin de faire des enfants. Elle se régénérait en une seule et même vie, s'abreuvant comme un vampire à l'apparence des autres, n'avait même pas éprouvé le besoin de garder des liens avec sa famille, son passé, son enfance, les abandonnant comme s'ils n'avaient été que des peaux mortes, les brouillons de ce qu'elle deviendrait, de ce qu'elle était programmée à devenir ; conservant seulement ses diverses mues comme des stigmates secrets sur la peau de son âme, entraînée à tout ingérer et garder en elle-même, à tout transformer et recracher en vêtements, petits fétiches qui remplaçaient tous ces corps passés abandonnés en cours de route et tous ces corps futurs qu'elle ne mettrait jamais au monde.

Mais même en portant des vêtements occidentaux, en s'habillant à la mode du pays qui les accueillait, ça n'avait pas suffi : c'étaient leurs visages qui n'en finiraient pas de les trahir. Leurs têtes dépassaient des vêtements, et sur leur peau mate se lisait leur statut d'émigrés, de vulnérables qu'on peut humilier parce qu'ils ont tout perdu. Depuis l'enfance, j'avais entendu ma mère me raconter ces histoires d'autobus qui ne s'arrêtaient pas aux stations où elle et ses sœurs, alors petites, et où d'autres Arméniens attendaient pour aller à l'école ou se rendre à l'usine Belin qui voulait bien les employer. La France les avait accueillis parce qu'elle manquait d'ouvriers. « Mais toi, me disait ma mère avec fierté, toi tu as la peau si blanche. Tu as le même teint d'albâtre que ton arrière-grand-mère. » Pour moi, les autobus s'arrêteraient toujours. Pourtant, plus de soixante-dix ans après leur humiliation, ma peau blanche n'avait pas suffi.

Je m'étais simplement déplacée sur l'échiquier social. Je n'avais fait qu'accéder à une autre classe mais je reproduisais le même geste : tourner autour de l'enveloppe, du vêtement qui dirait l'absence de corps tout en tentant dérisoirement d'en prendre la place. Je n'étais plus du côté de celles qui les cousaient mais de celles qui les achetaient. Je reproduisais, à l'envers, le même processus : devant mes yeux, des rangées de robes pendaient encore sur des portants de métal, sauf qu'il s'agissait des miennes, des robes que j'avais achetées pour moi-même

175

et pas confectionnées pour d'autres. Je les retournais, les dégrafais, les remplissais de mon corps pour m'assurer qu'à l'intérieur il y avait quelqu'un, mais l'incertitude demeurait et j'achetais encore plus de robes, et de souliers, et de manteaux.

« Il y a toujours une princesse, flottant dans une robe blanche. Son visage est un fleuve. La princesse… est un fleuve. Empli de larmes de tristesse et de désespoir. »
Mina (Winona Ryder), *Dracula* (Francis Ford Coppola).

Garbo avait quitté John Gilbert comme s'il n'avait été qu'un fantôme, et son amour pour elle, une illusion, un simulacre de vie produit par le cinéma, ce cinéma qu'elle ne pouvait plus supporter. Et par la suite, elle n'avait plus jamais pris leurs sentiments au sérieux, comme si elle avait toujours su qu'ils n'étaient qu'illusions, et qu'un jour ils se rendraient à l'évidence, comprendraient qu'ils ne l'avaient jamais vraiment aimée, que leur amour pour elle n'avait été qu'un mirage puisqu'elle-même n'existait pas hors de son image projetée sur grand écran. Sa présence, dont ils se croyaient amoureux, n'était guère davantage que cela : des particules de poussière suspendues dans un rayon lumineux. Comme l'amour n'avait peut-être pas plus de réalité qu'une illusion d'optique, à laquelle certains choisissaient de croire, d'autres pas. Et elle, elle n'y avait pas cru, et regardait les pauvres diables qui l'aimaient avec distance, avec froideur, attendant qu'ils retrouvent la raison. Mais un jour, en se promenant à Manhattan avec un ami, il lui avait parlé de ce premier amour, avait prononcé son nom : John Gilbert. Alors elle avait lâché ses paquets, porté ses mains à ses oreilles et s'était mise à hurler.

Il ne restait d'elle que ses robes, toutes les robes qu'elle avait amassées – seules preuves concrètes de la présence matérielle de ce corps qui n'avait pas cru à l'amour, qui le limitait à une illusion faute de croire, elle-même, en sa propre réalité, et qui l'avait ainsi, toujours, empêché de s'incarner dans sa vie. Comment faisait-on le deuil de ce qui n'avait pas pris corps ? En lui donnant corps soi-même, en lui donnant son propre corps, en sacrifiant son corps pour incarner à travers lui l'amour que l'on avait craint de perdre parce qu'on se savait condamnée, de par sa nature éphémère, immatérielle, à le perdre – pour mieux le conserver, l'idéaliser, le fétichiser, et lui faire traverser le temps dans l'espoir qu'il renaîtrait un jour, et qu'ainsi il nous permettrait de renaître nous aussi. Mais cet amour défunt qui prenait corps en nous finissait fatalement par nous modifier, par nous faire muter en un autre que nous-même. « Ce qui ne tue pas rend plus fort » – peut-être, mais ce qui ne tuait pas rendait surtout différent, encore un peu plus monstrueux à chaque fois. Un hybride de soi et de l'autre, celui que l'on avait quitté faute d'avoir les moyens d'y croire, ou celui qui, en disparaissant, avait bien failli avoir notre peau. Et cet être aimé mais volatilisé, nous niant par son absence, nous tuait un peu à chaque fois, mais pas complètement – pas complètement si nous parvenions à le neutraliser en l'ingérant. Nous devenions alors un peu

177

l'autre, et nous changions ainsi de goût, de style, d'autre en autre neutralisés pour nous permettre de survivre.

Dans *La Mouche* de David Cronenberg, le jeune scientifique, incarné par Jeff Goldblum, met au point une machine révolutionnaire qui permet de se téléporter d'un lieu à un autre en quelques secondes. Un jour, il tente l'expérience sur lui-même : il entre dans la machine, la met en marche, les particules de son corps se désintègrent puis réapparaissent dans la capsule voisine, et recomposent son corps. Sa peau se met à peler, sa posture se modifie, d'épais poils noirs apparaissent sur son dos. Une mouche est entrée avec lui dans la première capsule, son corps s'est désintégré en même temps que le sien, les particules de la mouche et celles de l'homme se sont alors imbriquées, réapparaissant fondues en un même corps dans la deuxième capsule, gènes humains et gènes insectes intimement mêlés en une mutation monstrueuse.

La Mouche, tourné en 1986, est le *remake* d'un film de 1958, *La Mouche noire* de Kurt Neumann. Dans ce film l'effet de la métamorphose s'affiche d'emblée : le savant a gardé son corps d'homme intact, mais sort de la capsule affublé d'une tête de mouche. Dans les deux cas, l'utopie merveilleuse a accouché d'une chimère : mi-homme, mi-animal.

Et je contemplais, impuissante, ma garde-robe se métamorphoser. Il n'y restait plus que des lambeaux de peau telle une enveloppe purgée du corps qui l'avait un temps animée. Cet amour qui n'avait pas pris corps, cet homme aimé qui était parti, j'étais en train, très lentement, de l'ingérer. Les particules de son être se mêlaient aux miennes, et me métamorphosaient – mais en quoi, en qui ? Pour l'instant et comme toujours, les stigmates de cette renaissance s'imprimaient dans ma garde-robe. Le style d'une femme n'est-il que la somme de ses amours mortes ? Ne restait de mon être précédent qu'une garde-robe en laquelle je ne me reconnaissais plus – fragments que je laissais derrière moi comme les différentes mues d'un serpent. Encore une fois, je me glissai hors de la gangue qui m'avait servi un temps à me représenter, et une peau neuve s'était reconstituée à travers de nouveaux vêtements. Un autre style qui témoignait, comme toujours, d'une métamorphose intérieure, comme si tout choix vestimentaire n'était que le signe extérieur de ce que chacun avait prélevé de ces autres qui l'avaient fait souffrir. Longtemps après F., j'avais continué à acheter ces souliers à boucles que Roger Vivier avait créés pour Yves Saint Laurent et que Catherine Deneuve portait dans *Belle de jour*, des vêtements stricts, des manteaux léopard, des tweeds anglais ; longtemps après J., je continuais à accumuler les robes de satin noir et les longs gants des héroïnes des films des années quarante, la décennie de sa naissance, celle qui n'en finissait pas de l'inspirer. J'avais prélevé de chacun ce qui le constituait au plus intime, des particules de son univers. Ils étaient dès lors comme morts, du moins pour moi, puisque je n'avais plus besoin d'eux, les portant un peu en moi, sur moi, devenant ainsi un peu eux-mêmes pour mieux nier leur disparition. Et j'allais ainsi, de meurtre en meurtre, jusqu'au prochain amour. Alors aujourd'hui, j'ouvrais mes armoires

179

et contemplais les souliers Vivier, les tailleurs en tweed, les manteaux léopard, les robes de satin noir, et ils ne me disaient plus rien, n'avaient plus aucun sens. Je n'éprouvais plus le besoin de les porter puisque j'avais aimé à nouveau, perdu à nouveau. Le vide que cet homme avait laissé, je le remplirais à coups d'étoffes prélevées à même ses rêves : des vêtements plus ajustés, faits d'un alliage d'une plus grande douceur et d'une plus grande dureté, d'une plus grande froideur, comme la carapace moirée d'un insecte noir.

Dans *La Mouche noire*, l'homme au corps humain et à la tête d'insecte demande à sa femme de retrouver la mouche qui s'est glissée avec lui dans la capsule : s'il a sa tête, la mouche doit avoir la sienne. Il pourra alors tenter de faire l'expérience en sens inverse pour retrouver son visage d'homme. A la fin, elle retrouve la mouche au visage humain : elle est prise au piège d'une toile d'araignée, et l'araignée s'apprête à la dévorer. *La Mouche noire*, c'est l'histoire d'un homme qui a changé de visage, et se retrouve prisonnier d'un vaste réseau, sans cesse menacé d'être broyé par le mal. Une métaphore de tous les régimes fascistes ? Il était double, à la fois anglais et français, par les deux branches de sa famille, mais ce n'est pas pour cela que la télévision française lui consacre une émission en 1972, l'année de sa mort, intitulée « L'Homme aux deux visages ». George Langelaan avait eu, littéralement, deux visages. Et c'est lui qui, peu de temps après la Seconde Guerre mondiale, avait écrit la nouvelle *La Mouche*. Espion au service du MI5, Langelaan subit une opération de chirurgie esthétique pour infiltrer incognito la France pétainiste. Il devient Georges Langdon, un Français à la gueule de collabo : une petite moustache et une mèche sur le côté. L'auteur de *La Mouche* avait d'abord muté physiquement pour agir en invisible, faisant de sa nouvelle apparence une arme pour dynamiter un régime de l'intérieur.

« Tous vos fans s'habillent comme vous, qu'en pensez-vous ?

— Je ne suis pas sûr que ce soit encore le cas, mais si j'ai pu les aider à trouver un nouveau personnage, voire plusieurs personnages à l'intérieur d'eux-mêmes, bien plus que la personnalité à laquelle ils pensent être conditionnés, alors j'en suis heureux. Nous avons tous en nous une personnalité à différentes facettes, mais la plupart d'entre nous ont du mal à les trouver. »

Pendant trente ans, il va multiplier les masques, et en faire une manière de détruire, de l'intérieur, la chape de plomb qui pèse sur l'Angleterre des années soixante. Il est né à Brixton en 1947 mais renaîtra en 1972 sous une autre forme. Il s'appelle David Jones, devient David Bowie, renaît en Ziggy Stardust. Sa modernité, c'est d'être son créateur et sa créature, Victor Frankenstein et le monstre en un seul corps. Il va s'auto-engendrer, création unique de lui-même par lui-même, tout en échappant à la totémisation morbide de son corps à force d'en multiplier les apparences. Il incarnera tout au long de sa vie plusieurs personnages, par la seule grâce du changement de costumes. Tout commence pour Bowie par une nouvelle coupe de cheveux : en 1972, il troque ses longs cheveux blonds hippies pour une coupe hirsute orange. Il échange ses jeans pattes d'éléphant contre d'étroites combinaisons glitter, peint ses ongles d'argent et de noir, porte cuissardes et leggings métalliques, s'épile les sourcils et se maquille. Prolongation contemporaine de la créature de Frankenstein, il renaît en assemblage couturé des corps des autres, fusionnant l'esthétique futuriste du film *2001 : l'Odyssée de l'espace* de Kubrick, le maquillage et la gestuelle du kabuki, cet art du théâtre japonais où les hommes se travestissent en femmes, l'esthétique *camp* des clubs gay, l'exubérance des superstars qu'il a entrevues à la Factory de Warhol. Le rock devient pour lui la scène parfaite où réunir tous les arts dans la plus grande théâtralité, surpassant au pays du glam-rock Marc Bolan de T. Rex, qui mourra dans un accident de voiture en 1977, et Bryan Ferry en leader de Roxy Music. *The Rise and Fall of Ziggy Stardust and the Spiders from Mars* est l'un des premiers albums narratifs de l'histoire du rock, qui raconte une seule histoire : celle d'un alien incarné en rock star que les fans et le système finiront par détruire (référence à Jimi Hendrix, Janis Joplin ou Brian Jones). Mais Bowie n'aurait pu devenir Ziggy avec ses longs cheveux préraphaélites de la pochette de *The Man Who Sold the World*, même si le changement s'y opère déjà : il y pose en robe longue, ce qui détonne dans le milieu machiste du rock. C'est sa femme, la mannequin Angie Barnett, qui le pousse à se travestir. L'ange anguleux aux paupières dorées est né : un hybride inédit, mi-humain, mi-alien, qui a posé en Sphinx sous l'objectif de Brian Ward. Bowie prolonge encore l'énigme : il sera Ziggy Stardust, Aladdin Sane (le plus schizophrénique de tous ses personnages, pour lequel il prévoie une multitude de costumes réalisés par Kansai Yamamoto), Major Tom, le Thin White Duke en costume noir trois pièces. Ce qu'on savait moins, c'est que son apparence n'était, elle aussi, que le résultat de la neutralisation d'un Autre menaçant : son frère schizophrène, qui l'effraie comme s'il avait aperçu son double dans un miroir. Cette schizophrénie, il se l'inocule, la fait sienne pour mieux la contrôler, et la tient à distance en la transformant en œuvre d'art.

« Dans le domaine de la personnalité, le "Camp" affirme un goût notoire pour ce qui est à l'évidence affaibli ou fortement exagéré. L'androgyne est sans aucun doute une des figures dominantes de l'imagerie d'une sensibilité "camp". Exemples : les sveltes, sinueuses, évanescentes silhouettes des peintures ou de la poésie préraphaélite ; les corps minces, graciles, asexués des estampes et des affiches "Modern'Style", ou en incrustations sur des lampes et des cendriers ; le mystère de l'androgyne dans la parfaite beauté d'une Greta Garbo. Le goût "camp" rejoint ici une prédilection générale, qui est évidente bien que rarement admise : l'attirance sexuelle dans ses modes les plus raffinés (et les plaisirs sexuels non moins raffinés) se fonde sur des caractéristiques contradictoires à la norme de chaque sexe. C'est une certaine touche de féminité qui semble parfaire la beauté des hommes virils, une nuance de virilité qui accomplit la beauté des femmes... »
Susan Sontag, *Le Style « Camp »*.

Le goût : dans nos vies, ce passager clandestin qui nous trahit toujours. En 2005, F. m'offre *Le Temple du goût* de Voltaire, je le perds aussitôt tant il m'agace à m'imposer son goût à lui – auquel je me refuse quand je comprends qu'il est en train de me transformer en Claude Pompidou. « Il faut toujours croire les apparences », m'affirme-t-il, parce que le goût dit tout d'un être, alors il me rhabille selon le sien, dont il ne doute jamais. C'est vrai qu'il est très élégant, mais je commence à comprendre que plus un homme est élégant, plus il traite les femmes sans élégance. Alors je le quitte. Et c'est à partir de cette rupture, douloureuse, que je me mets à regarder en boucle le *Dracula* de Coppola. J'en connaissais toutes les répliques, tous les détails. Il y a toujours une princesse. Son visage est un fleuve. Une robe blanche, flottante.

Ce qui nous avait rapprochés, c'était pourtant un goût commun pour l'Angleterre. Un goût qui, pour chacun, était né et s'était développé durant l'enfance. Je découvre *The Avengers* à cinq ans. Les combinaisons d'Emma Peel me fascinent, ses jambes fuselées de latex que prolongent des bottes effilées. Je découvre qu'on peut affronter les êtres les plus dangereux d'un mot d'esprit, qu'une voiture stylée protège du pire, qu'après chaque mésaventure, il suffit d'ouvrir une bouteille de champagne pour tout oublier. Madame Peel file dans sa Lotus Elan décapotable à travers les rues de Londres ou dans la campagne anglaise où l'excentricité devient une menace autant qu'un enchantement. J'y découvre que tout est absurde et que le style est essentiel, car seul le style, telle une fidélité à soi-même, permet de s'y retrouver. Quand l'élégance peut être un leurre, de la poudre jetée aux yeux de l'autre pour mieux le duper, le style prolonge le goût, permet d'exister contre toutes les déconvenues que l'existence nous oppose tôt ou tard. Si Paris reste la capitale de l'élégance, la Grande-Bretagne devient le berceau du style pour la petite fille qui découvre *The Avengers*.

Quand elle passait à Londres avec Cecil Beaton, elle aimait sortir avec le jeune Lucian Freud : « A l'époque c'était la personne la plus célèbre au monde. Je sortais avec elle. Elle était très gentille, sans compter qu'elle payait, ce qui alors était bienvenu. Je me rappelle qu'elle me disait : "J'aimerais que tu sois normal, je te trouve très séduisant", faisant sans doute allusion à une relation érotique avortée avec un autre garçon de mon âge. Je ne savais que répondre, sinon : "Je le suis, les jeudis !" – ce genre de choses. J'étais très jeune. Elle allait sur ses quarante ans. Les gens dans les clubs n'en croyaient pas leurs yeux. Cecil (Beaton) lui disait : "Viens, ma vieille, tu t'amuseras une fois que tu y seras." Je n'ai jamais oublié ça. Les pédés des clubs de Soho s'habillaient tous en Garbo et en Dietrich, et j'emmenais Garbo dans les clubs que fréquentaient ces jeunes tantes habillées comme elle » (Lucian Freud, Geordie Greig, *Rendez-vous avec Lucian Freud*). Corps androgyne, contre nature, l'apparence de Garbo devient le signe d'une subversion, d'une révolution sexuelle en marche.

Sourcils épilés, pommettes hautes, paupières tombantes, Bowie réinvente Garbo. Son étrange renaissance n'aura peut-être été possible que grâce à la disparition des déesses de l'âge d'or hollywoodien. Tous les codes du style Bowie semblent leur être empruntés, jusqu'au satin blanc de leurs robes brillantes, visages pâles, fards et longs cils, tout un arsenal glamour déjà vu chez Garbo, Mae West, Marlene Dietrich. Les années soixante-dix et le Nouvel Hollywood ont sonné le glas des icônes hollywoodiennes, et la rock star, Bowie en tête, a pu occuper la place qu'elles avaient désertée : celle de divinité irréelle à vénérer. Toutes ces stars s'étaient métamorphosées : de rondes, elles étaient devenues minces, leurs cheveux frisottés avaient été raidis, leurs dents arrangées, leurs robes grossières changées en caresses scintillantes. Cet art du transformisme, c'est ce que les rock stars vont leur emprunter et c'est aussi ce que Bowie va léguer à la pop : des costumes romantiques de Duran Duran à Spandau Ballet, du genre *queer* de Frankie Goes To Hollywood à Marc Almond et Soft Cell, du dandysme de Pulp à Suede, de la métamorphose de Madonna en Marilyn Monroe, comme s'il s'agissait d'inverser le processus du rock à Hollywood, jusqu'à Lady Gaga, sorte de Ziggy Stardust hystérisé. Tel est le mantra que Bowie nous aura transmis : pour avoir plusieurs vies en une seule, il suffit de changer d'apparence.

« Tout était de la faute de Bowie. Nous pensions que nous pouvions changer le monde avec un trait d'eye-liner et un peu de rouge à lèvres. »
(Boy George)

Pouvait-on changer le monde en s'habillant diffé-remment ? Une génération le croit. Elle va retourner la

186

norme, les traditions, en s'attaquant à sa propre apparence, en détournant les codes des genres et des classes
– en s'affichant androgyne, et en créant ses propres
vêtements hors de la mode imposée par le marché.
Susan Sontag écrit : « Soutenir et défendre le goût, c'est
défendre sa liberté personnelle. Toute réaction libre, par
opposition à la réaction prévue et imposée, dépend du
goût. » A travers son style, David Bowie affirme son
goût pour la bisexualité. Habillé en femme, il déclare
être gay – un *outing* scandaleux en 1972, qui accentue
d'autant plus son ambivalence qu'il est marié et père
d'un enfant. Très vite, les poupées changent de camp.
Les New York Dolls ne sont pas un groupe de filles
mais de petits durs issus des banlieues de New York. Ils
jouent dans les clubs de *freaks* où passent les superstars
warholiennes, Candy Darling et autres travestis. Leurs
chansons sont « comme des manifestes pour cette génération de monstres à la Frankenstein, gorgée des excès
des années 60 mais orpheline de l'idéalisme qui les avait
préfigurés » (Jon Savage, *England's Dreaming*). Ces nouveaux monstres de Frankenstein, nihilistes, hédonistes,
se métamorphosent en créatures d'un autre sexe, mi-
homme, mi-femme. David Bowie apparaît sur scène en
bustier en forme de cœur à plumes noires, leggings rouges
et hautes cuissardes à talons aiguilles de vinyle noir. Il
fera de l'hybride bisexué, du corps contre nature, une
arme pour bouleverser la société.

« Terrorisez, menacez et insultez votre génération inutile. Tout à coup, vous êtes devenu un concept original
et des gens veulent être de la partie. Vous avez acquis de

la crédibilité à partir de rien. Partout en ville, on parle de vous. Faites-en une histoire que vous pouvez vendre. » Malcolm McLaren.

Marqué par mai 68, Malcolm McLaren a traduit les écrits de Debord en Angleterre, et retenu des situationnistes l'idée de détournement. En 1975, il se lance dans le tournage d'un film anticonsumériste, *Oxford Street*, sur (et contre) les magasins de fringues de cette grande artère commerçante de Londres. Il vit avec Vivienne Westwood, qui se balade en leggings noirs, pull mohair citron, boots blanches et coupe en pétard platine. En 1971, ils ouvrent au 430 Kings Road Let It Rock, une boutique de fripes américaines années cinquante pour les Teddy Boys, ces gars issus des classes ouvrières qui s'instituent en contre-pouvoir underground. Ils y vendront des vêtements et accessoires détournés des marginaux, des Hell's Angels puis du vestiaire des prostituées, des fétichistes et du sado-masochisme, cuir, latex, cagoules, talons aiguilles, sangles, chaînes, qu'ils achètent directement chez les grossistes des sex-shops. Ce qui se cache dans les marges de la société anglaise, ils l'exhibent au grand jour. Ils y vendent très vite des tee-shirts sérigraphiés d'images provoc et de slogans révolutionnaires. Let It Rock change de nom pour Too Fast To Live, Too Young To Die puis SEX et plus tard, Seditionaries.

En 1976, dans *Taxi Driver*, pour montrer que Travis Bickle (Robert De Niro), jeune marine récemment démobilisé, reconverti en chauffeur de taxi à New York, se transforme en machine de guerre contre la société américaine, Martin Scorsese le filme devant un miroir, se rasant le crâne, formant en son centre une crête iroquoise.

Né un peu après le punk new-yorkais, le punk anglais le radicalise, le politise, en fait un phénomène de société en érigeant le vêtement et l'accessoire en manifestes contestataires. La guerre du Vietnam s'est enlisée. Le choc pétrolier a plongé l'économie dans une récession violente. Cette génération sent que l'Occident lui a menti. L'Angleterre ne lui promet qu'un destin d'ouvrier, comme ses pères, de femmes au foyer, comme ses mères. Les messages pacifistes, les cheveux longs, l'idéal d'un retour à la nature, le flower power de la génération hippie n'ont rien changé. *Against nature* : les punks vont ériger l'artifice en déclaration de guerre. Les cheveux teints le plus artificiellement possible, dressés sur la tête en forme de piques, des maquillages outranciers, visages blancs, yeux cerclés de noir, lèvres peintes en noir, les codes vestimentaires d'une sexualité qui se cache, déclarée « perverse », sont affichés quotidiennement ; le vêtement est *antifashion* : contre les marques bourgeoises et le marché qui gouverne, le mantra du punk est « Do it yourself ». « J'ai commencé à porter des épingles à nourrice », raconte John Lydon des Sex Pistols dans le documentaire *The Filth and the Fury*, « parce que je n'avais pas d'argent pour m'acheter des vêtements et que mes fringues se déchiraient. C'était juste pour les rapiécer. » A ces gamins issus des banlieues et de la classe ouvrière, les biens sont refusés. Alors les punks les rejettent comme ils sont rejetés par l'establishment. Les codes des dominants, les dominés les ingèrent, les digèrent et les recrachent, neutralisés.

La seule dispute sérieuse que j'avais eue avec ma mère, c'est quand, à quatorze ans, me mettant à porter un grand crucifix à l'oreille, elle me traite d'idiote, et exige que je le retire immédiatement. Il y avait donc une limite à ne pas franchir sans en avoir pourtant jamais parlé, et cette limite, je comprends soudain que c'est ce crucifix détourné de son rôle premier.

« Mettre l'accent sur le style, c'est faire peu de cas du contenu, ou refuser tout engagement par rapport au contenu », écrit Sontag dans *Le Style « Camp »* en 1964. Dix ans plus tard, le punk la contredit : contenant et contenu ne font qu'un dans un désir de transgresser la règle. Les cheveux se hérissent en pointes dures. Les blousons en cuir se hérissent de clous. Les colliers et les bracelets de force se hérissent de pointes de métal. Qui s'en approche se blesse. Le punk déconstruit le vêtement pour en découdre avec la société. Son geste tient dans le détournement des symboles de l'autorité, du pouvoir et de l'oppression, de tout système, religieux, de caste ou politique, qui entrave, pour mieux le purger de sa signification, réduisant ses codes à de simples motifs décoratifs. Le crucifix devient un bijou, la croix gammée, portée à l'envers, un ornement de veste ou de tee-shirt, le vêtement même, ce rituel bourgeois qui détermine la classe sociale à laquelle chacun appartient, se lacère. Le style punk est celui du dérèglement, du retournement : les punks dérangent parce que le vêtement est toujours, dans une société, le médium à travers lequel l'ordre ou le désir de chaos ou le désir tout court s'expriment.

Deux petites sorcières gothiques avachies sur les divans d'un appartement parisien. C'est l'été, le punk est mort depuis quelques années déjà, mais la nouvelle ne nous est pas encore parvenue, alors nous continuons à y croire et à nous dresser les cheveux sur la tête. J'avais tout oublié de cet été passé au 11 rue de Berne, comme le narrateur de *Rue des Boutiques Obscures*, devenu amnésique, a oublié qu'il a vécu un temps à cette étrange adresse : la vie est un long accident qui rend amnésique. Et pourtant, tout était déjà là, contenu en un seul été : l'idéal et les espoirs de la jeunesse, la défaite du temps, et l'oubli qui nous guette, tapi dans l'ombre des lourdes tentures que nous avions baissées pour nous protéger de la canicule. Paris était désert. Mirska, ma meilleure amie, les cheveux hirsutes noir et blond platine, portait une minijupe en jean noir et des ballerines pointues ; j'avais déchiré mon tee-shirt, et portais une ceinture cloutée. Nous avions refusé d'accompagner les parents de Mirska à Saint-Tropez parce que Saint-Tropez, ça craignait vraiment trop : un truc de vieux, un truc de bourges. Alors ils nous avaient confié une mission : garder leurs chats, Tamino et Pamina, et leur appartement. Mirska lit Sade, je lis Sartre, en faisant semblant de comprendre – parce que Sartre, qu'admire ma mère, a refusé le Nobel, immense bras d'honneur au système, et avec Beauvoir, ils réinventent tout, le couple, la vie, les règles, contre la norme, ils ont des amants, des maîtresses, ils vivent chacun dans des appartements différents, le luxe ils s'en foutent, l'argent aussi, ils ont érigé la liberté en système de vie, ils écrivent au café, vivent parfois à l'hôtel. Ma vie ressemblera à la leur. On foutra tout en l'air. On crache sur le modèle des générations précédentes, les couples qui se trompent, l'hypocrisie bourgeoise, la course au fric, les petits chefs. La mode est un truc pour enlaidir les vieilles et les bourges. Une voisine, une vieille dame adorable, m'offre son vieux sac Hermès – je le jette à la poubelle. On court au marché Saint-Pierre s'acheter du skaï noir, de la toile cirée et du faux léopard pour nous faire des minijupes. On jette de la peinture acrylique sur nos tee-shirts Tati pour les « pollockiser ». On fouille les puces de Montreuil à la recherche d'escarpins *fifties*. On écoute les Sex Pistols, les Cramps et les Dead Kennedys. Parfois, une ombre d'un autre temps glisse sur le parquet escortée par Tamino et Pamina : la grand-mère de Mirska, quatre-vingt-cinq ans, passe ses journées dans de longs peignoirs bordés de plumes, les sourcils dessinés au crayon et la peau couverte dès l'aube d'un fin voile de poudre de riz. Elle a peur d'avoir trop chaud en ce mois d'août parisien, nous prie de garder les stores baissés, parfois de lui servir une tasse de thé, et quand nous décidons de nous aventurer aux Galeries Lafayette pour y voler de longues boucles d'oreilles strassées, elle nous demande de lui ramener un polissoir à ongles, un crayon à sourcil n° 2 ou de la poudre parfumée à la violette, accessoires qui sonnent délicieusement désuets en 1982. Parfois, elle se coiffe d'un turban, se faisant croire qu'elle va sortir, puis se ravise, soudain mélancolique : « Vous avez de la chance d'être jeunes. Profitez-en. » Nous n'y comprenons, naturellement, rien. Comment comprendre que le temps passera pour nous aussi ? Alors elle nous raconte son premier amour, l'un des fondateurs du Parti communiste français. « Il voulait changer le monde », nous dit-elle avec nostalgie, amoureuse à jamais de cet homme qui portait un idéal, et puis elle retourne s'étendre dans sa chambre, épuisée d'avoir tant parlé. Tard dans la soirée, alors qu'elle s'est endormie, nous usons de ruses de Sioux pour attirer Tamino et Pamina, et les dépouiller de leurs colliers à clous ou à strass, pour nous en faire des bracelets punk le temps d'une virée nocturne qui consiste, vu notre âge, à échouer devant une pêche Melba.

« Attention, gang de V.V. en vue ! », ou encore « Les V.V. viennent d'entrer dans le salon » : Marianne, la sœur de Mirska, nous appelle les « Vieilles Vierges », et avec son petit ami, ils éclatent de rire à mesure que nous rougissons et les détestons. Ils ont douze ans de plus que nous, leur jeunesse s'est déroulée dans les années soixante-dix, en pleine libération sexuelle, alors malgré nos accoutrements de petites punkettes dures à cuire, ils ne voient que deux gamines boutonneuses – bref, des « V.V. ». Ils ont passé leurs nuits au Palace, s'habillent à Londres, à Kensington Market, d'où ils rapportent leurs boots pirates en daim noir bardées de boucles argentées qui nous font mourir d'envie. Parfois, ils prennent les « V.V. » en pitié, ces deux petites qui brûlent de l'impatience de vivre mais n'y arrivent jamais vraiment. Un soir, ils nous emmènent dans un squat où les créateurs underground – à une époque où tout véritable créateur est forcément underground – s'appellent Rafi et La Colonelle, et font défiler leurs mannequins en robes de tartan, de latex noir zébré de zips, en tailleurs coupés dans du tissu d'ameublement. L'égérie de Rafi, Béatrice, une longue fille brune et pulpeuse à la peau de lait, nous émerveille en pin-up punk dont la coiffure bouffante noir corbeau ressemblerait aux coiffures du XIXe siècle si elle ne se parait de chaque côté d'une longue mèche rose pâle. Elle est juchée sur des talons vertigineux, sanglée dans une robe coupée dans du tissu de rideau damassé. A l'oreille, elle porte un long crucifix d'argent.

J'écris « Lucrate Milk » au marqueur sur mon sac d'écolière, le nom d'un groupe punk comme une déclaration de guerre. Je fonde un fanzine, *Kulturation* (c'est l'époque de la presse indépendante, de la presse underground qu'on va acheter aux Halles dans la librairie Parallèles) ; j'anime tous les samedis soir sur Radio Aligre (c'est l'époque des radios libres, où deux gamines de seize ans peuvent avoir leur émission) une émission de deux heures consacrée au rock, « Rupture », avec mon amie Isabelle. Y défilent tous les groupes du moment, Orchestre rouge, Oberkampf, Kas Product, etc. Un temps qui semble, vu d'aujourd'hui, magique, ce début des années quatre-vingt, quand nous pouvions encore nous réinventer, quand l'on croyait possible de s'offrir une nouvelle place rien qu'en changeant de nom comme on change de look. Je me rebaptise « Dinkita », et Isabelle devient « la Marquise ». Vingt ans plus tard, alors que nos vies ont pris des tours différents, alors qu'elle retrouve mon numéro dans l'annuaire, elle me dit encore : « Dinkita ? C'est la Marquise. » Et encore aujourd'hui, si je la revoyais par hasard, elle continuerait à me nommer de ce nom d'héroïne de bande dessinée dont elle est la seule à savoir qu'un jour, il fut le mien : comme un nom de code entre deux anciennes combattantes, qui eurent seize ans et y avaient cru, qui avaient cru que tout allait changer, qu'il suffisait de s'habiller différemment et d'écouter du rock pour se recomposer une nouvelle famille, esthétique, politique, sentimentale.

Sid Vicious portait autour du cou une grosse chaîne fermée par un cadenas, comme pour montrer que son corps n'appartenait qu'à lui, que la société n'avait pas à en disposer, ni l'asservir à sa norme. Sur scène, il apparaissait aussi le corps scarifié sous son tee-shirt lacéré. Ce qui porte atteinte à l'intégrité du vêtement glisse peu à peu vers le corps, atteint l'intégrité physique elle-même : le corps punk échappe à toute totémisation, car totémisation rime avec embaumement, sacralisation et au final, neutralisation. Les épingles à nourrice s'enfoncent dans la peau, et leurs lames de rasoir, portées en bijoux, les punks les retourneront contre eux-mêmes. Sid Vicious meurt d'une overdose à New York en février 1979. A Paris, en novembre, Daniel Darc se taillade les veines sur la scène du Palace. En 1980, en plein mouvement New Wave, Ian Curtis, le leader de Joy Division, se pend. C'est fini. Ceux qui ne meurent pas rentrent dans le rang : en 1981, Vivienne Westwood réalise son premier défilé à Londres, l'année suivante à Paris. En 1982 elle signe sa collection « pirate », habille les nouveaux romantiques pendant que Malcolm McLaren invente le groupe Bow Wow Wow, de la pop acidulée chantée par une gamine gironde. Les temps ont changé. Début 1990, le grunge est porteur des mêmes idéaux que le punk, et réinvente un style hétéroclite anticonsumériste. Mais Kurt Cobain se suicide en 1994, et deux décennies plus tard, sa veuve, Courtney Love, leader du groupe Hole, vend son image pour la campagne de publicité Saint Laurent aux côtés de Kim Gordon et de Marilyn Manson. Cette récupération des rock stars par la mode commence début 2000 : le groupe Franz Ferdinand accepte d'être habillé par Dior Homme, dont Slimane a renouvelé l'image en s'inspirant des groupes de rock des années soixante-dix. C'est la décennie où Chanel invite Beth Ditto à se produire dans ses soirées, fait poser Lily Allen pour ses campagnes de publicité, et crée une collection inspirée par Amy Winehouse. Kate Moss risque de perdre tous ses jobs pour avoir été photographiée prenant de la coke avec Pete Doherty – au contraire, elle n'aura jamais autant travaillé, devenant une icône rock, alors que c'est Doherty, pourtant leader des Libertines, qui sombre comme s'il avait été vampirisé par le milieu de la mode pour être recraché, plus tard, plus loin, inoffensif, son aura subversive transférée au top model.

L'été 1986, je le passais à nouveau au 11 rue de Berne, dans une chambre de bonne que me louaient les parents de Mirska. Je m'étais acheté une petite machine à coudre pour créer mes propres vêtements, minirobe en clan rouge et noir, minijupe en faux cuir bleu électrique, tout un arsenal rock que l'on ne trouvait pas dans les boutiques, comme ces ballerines pointues ou ces tailleurs sixties qu'il fallait chiner aux Puces. Je n'avais pas d'argent pour partir en vacances, alors je passais encore mes journées allongée, les stores baissés, à dévorer des romans : *Anna Karénine, Madame Bovary*, Dostoïevski, Balzac, Nabokov, Modiano, Sagan. Ils disaient tous la même tragédie. Ils disaient tous que tôt ou tard, la vie finit par vous rattraper, vous acculer à un mur invisible et vous déchiqueter. Mais la vie, moi, ne m'aurait pas, m'étais-je promis. Je n'étais pas aussi idiote que toutes ces héroïnes qui s'étaient suicidées pour ne pas renoncer, qui avaient renoncé pour ne pas se tuer. Je me réinventerais sans cesse pour que rien ne puisse me rattraper, je vivrais constamment dans les marges de la norme, j'aimerais avec légèreté, jamais dupe de l'illusion romantique, jamais piégée dans un mariage qui s'avérerait peut-être mortifère au fil du temps. Entre deux romans, j'avais découvert dans un magazine des photos de l'égérie punk rencontrée quatre ans plus tôt. Elle avait désormais un nom : Béatrice Dalle. Elle vient de tourner *37°2 le matin* qui la catapulte star du jour au lendemain. Les journalistes en raffolent : elle est tellement grande gueule, tellement antilangue de bois. Une petite sauvage dans le monde policé du spectacle, qui la fête sans la comprendre, comme elle ne comprend pas encore dans quoi elle est tombée. Alors elle les observe comme si elle était au zoo, sans voir qu'elle y est entrée. Mais elle résistera, je ne le sais pas encore mais elle restera fidèle à ce qu'elle est, aux idéaux d'une génération. Elle résistera comme peu seront capables de

résister. Elle ne se conformera jamais, au risque, parfois, d'être seule, d'être rare, de déborder du cadre, de
se faire arrêter, d'être *jugée*. Plus tard, elle tourne son
plus beau film : *Trouble Every Day* de Claire Denis,
où elle joue Coré, une femme qui dévore vivants ses
amants pendant l'amour. Fragile, elle descend lentement
un escalier, avec pour tout vêtement des flots de sang.

En 1986, Vivienne Westwood signe une collection
intitulée « Les Merveilleuses », inspirée de la mode
de la jeunesse dorée après la Révolution française. La
révolution du rock anglais est bel et bien terminée.
En avril 1989, elle se prend à son propre piège et fait
la couverture de *Tatler* déguisée en Margaret Thatcher
(elle porte une veste de tailleur que la ministre a commandé à Aquascutum et qu'elle annulera par la suite),
avec une phrase écrite en lettres découpées dans les
journaux, comme les slogans punk des tee-shirts qu'elle
avait créés : « This woman was once a punk. » Photo
ironique malgré elle : la créatrice, qui voulait s'y montrer critique contre Thatcher, affiche aussi l'inverse :
l'ex-reine du punk est entrée dans le système, elle s'est
embourgeoisée. Plus tard, elle accepterait d'être anoblie
par la reine, Mick Jagger aussi. Dans l'Angleterre des
années soixante déjà, quand les Beatles s'étaient mis
à gagner autant d'argent que les aristocrates, premiers
petits gars issus des classes laborieuses à égaler financièrement l'establishment, risquant dès lors de dynamiter
tout son système de castes, la reine s'était empressée de
les anoblir – pour mieux les rendre inoffensifs.

Je rentre d'une soirée avec d'autres adolescents de mon âge. Cheveux hirsutes noir corbeau, tee-shirts déchirés, bracelets cloutés. L'un d'eux sort un marqueur et se met à taguer « A mort Le Pen » et « Le Pen, on aura ta peau » dans le métro. Je n'ai jamais entendu parler de ce Le Pen. Dès mon retour, j'interroge ma mère : « Un salopard à la tête d'un parti fasciste », me répond-elle. Trente ans plus tard, alors que toute forme d'insurrection s'est désagrégée, alors que les signes de la révolte punk sont portés par les ultraprivilégiés pour faire « cool », alors que toute forme d'idéal est devenue source de ricanement, 18 % des Français votent pour le Front national.

Trente ans plus tard, le punk entre au musée. La même année, trois expositions sont consacrées à trois figures ou mouvements de la contre-culture. Au Metropolitan Museum, à New York, a lieu une grande exposition sur le style vestimentaire du punk, « Punk : Chaos to Couture », et son influence sur la mode aujourd'hui ; la BNF à Paris en dédie une à Guy Debord, sacré trésor national, et le Victoria & Albert Museum de Londres une autre à David Bowie. Dans les allées de « David Bowie is », son corps absent se tient pourtant devant nous, dupliqué par ses costumes de scène les plus flamboyants, dont son bustier en plumes noires, ses cuissardes en vinyle et son legging en latex rouge enfilés sur un mannequin, peaux mortes prélevées à même un corps-concept. En les muséifiant, le corps collectif parvient à neutraliser ces corps qui furent un temps subversifs : il les récupère, les embaume, les exhibe derrière des cages en verre.

J'entre au Metropolitan visiter « Punk : Chaos to Couture » : en son centre, un tailleur Chanel, en tweed élégamment troué.

Tout ce qui représentait un danger pour son intégrité, la société parvenait à le neutraliser en le rendant commercial, en le transférant ainsi dans l'autre camp, adverse, en faisant passer l'esthétique « pauvre » et anticonsumériste de la rue aux magasins de luxe, le style des marginaux aux nantis, celui des dominés aux dominants. La mode se faisait le bras armé d'une société pour retourner la peau de tout mouvement contestataire, pour n'en garder qu'une enveloppe vide à vendre au plus offrant. Tout idéal serait ainsi, toujours, condamné à l'échec. Tout corps vivant se défend en vampirisant.

Alors ma métamorphose se poursuivait : je revêtais capes noires, ailes noires, mes ongles peints ressemblaient de plus en plus à des griffes. Je ne mutais pas vers quelque chose d'humain.

Dans *Les Prédateurs* (1983), David Bowie jouait un vampire, et il est vrai que jusqu'alors, c'est lui qui avait vampirisé tout un système, changeant de masque beaucoup trop vite pour se laisser épingler dans un cadre comme ces insectes aux ailes trop lourdes. Il disparaissait. Puis il renaissait tel un phénix. Dans *Les Prédateurs*, il était immortel. Mais brusquement ses cellules se décomposaient, il vieillissait en quelques heures. Au moment de l'exposition qui exhibait ses différentes peaux comme autant de trophées, David Bowie avait disparu. Contre la violence réifiante de la muséification, Bowie avait choisi de brandir la meilleure des armes : son absence – il avait soustrait son corps du jeu médiatique, marquant ainsi son refus de se laisser dévorer. Il avait pourtant accepté de prêter ses archives et ses costumes au V&A, puis s'était volatilisé. Il s'était contenté, comme pour mieux contredire sa propre mort qu'on lui offrait en spectacle, de sortir un disque, preuve magnifique qu'il était encore vivant et n'avait pas fini de résister. Son passé, sa gloire, son histoire : c'est lui qui les revisiterait, et à sa façon, et avec mélancolie, à travers les titres de *The Next Day* et une poignée de clips où il réincarnait tous les corps qu'il avait traversés – Ziggy Stardust, Aladdin Sane… – à travers des corps de femmes. Et le soir de l'inauguration, il avait envoyé Tilda Swinton pour le représenter : vous voulez une actrice pour participer au spectacle, vous voulez un mannequin pour porter des vêtements, en voilà un. Comme le vampire qu'il interprétait dans *Les Prédateurs*, il avait choisi l'ombre à la lumière car comme tout vampire, il avait compris que la lumière vous consume, vous réduit à un petit tas de cendres à exposer dans un musée. Les masques n'avaient, un jour, pas suffi. Alors mieux valait se faire disparaître.

« Il faut être soi-même une œuvre d'art, ou se vêtir d'une œuvre d'art », écrit Oscar Wilde. Sa mère était une poétesse excentrique qui portait des bijoux de tête de plus en plus extravagants, avait rompu avec les Unionists (le parti irlandais qui prône le rattachement de l'Irlande à la Grande-Bretagne) et écrivait des éditoriaux insurrectionnels pour *The Nation*. Elle adorait son fils qui l'adorait en retour : « S'il n'y a pas d'extravagance il n'y a pas d'amour, et sans amour il n'y a pas de compréhension possible. » Adulte, il rejette la longue redingote que portent les hommes de son temps, symbole de toutes les limites imposées au corps masculin par la société victorienne, et s'exhibe en vestes de tweed. Il fait de ses vêtements un *statement* politique, un outil d'opposition : plus qu'une œuvre d'art, il fera de sa vie une machine de guerre contre une société qui le contraint à l'ombre et à la marginalité à cause de son homosexualité. Et la société le rattrapera, arrêtera ce corps qui la défie : il passe deux ans en prison, en sort en 1897. Il s'éteint trois ans plus tard à Paris à l'âge de quarante-six ans : « Je meurs au-dessus de mes moyens. » C'est toujours ainsi qu'il avait vécu : au-dessus des moyens que la société victorienne voulait bien lui impartir.

Je n'en finissais pas de le rencontrer, toujours lui sur mon chemin, toujours ses bons mots, toujours rutilants d'intelligence, toujours sur le style, l'artifice : un flot de citations d'Oscar Wilde. Je pénétrais sur des terres qu'il avait déjà défrichées. J'avais pensé à Baudelaire, et à Brummell bien sûr, mais trop évidents – aussi évidents, dès qu'on s'intéressait à la question du vêtement, que les mots « dandysme » ou « narcissisme », que je m'étais juré d'éviter. Wilde réapparaissait toujours, tel un fantôme que l'on fuit dans un manoir hanté et qui nous attend au détour de chaque couloir. Quelques années auparavant, je m'étais rendue en Bourgogne pour interviewer son petit-fils, Merlin Holland. L'ombre de la tristesse couvrait encore ce visage dont l'ovale était si proche de celui de son grand-père. D'une voix étranglée, il m'avait raconté : une famille brisée par la honte, deux fils, Cyril et Vyvyan, détruits par l'arrestation de leur père, qu'ils n'avaient pas revu après sa libération, une vie passée à ne pas parler de leur père pour laver la tache, une mère qui avait préféré changer leur nom, troquer Wilde contre Holland, pour que ses fils ne passent pas le reste de leurs vies à subir l'opprobre et la honte, une vie à refouler l'amour pour un père que la société leur avait arraché. Et puis le froid avait tout envahi, un grand voile glacé nous avait recouverts à mesure que la pénombre dévorait la petite pièce qu'il avait dédiée aux archives de Wilde. C'était donc toujours à cela que me ramenaient la frivolité, le vêtement ? La figure du paria. Le monstre que l'on condamne à l'ombre parce que l'on rejette son « autre visage ». Celui qu'on vient, un jour, arrêter. Celui pour qui, un jour, tout s'arrête. Un homme trop visible qui devient, après sa sortie de prison, invisible.

Alors elle ferait de son corps une œuvre d'art. Et elle l'incrusterait dans la vie comme dans une suite de tableaux vivants, petits spectacles oniriques qu'elle inventerait pour son seul plaisir. Elle voulait faire de son apparence un manifeste qui dérangerait parce que trop « visible ». Elle se souvenait des concerts de rock de sa jeunesse, quand le public rivalisait de créativité, d'excentricité, quand chacun affichait les codes de sa tribu esthétique et politique, à la manière toujours plus flamboyante de jeunes paons qui se toisent ou se séduisent. Aujourd'hui, quand elle retournait aux concerts, elle mourait d'ennui : jeans, baskets, doudounes. Plus rien des goûts, d'une individualité, d'un choix personnel ne s'inscrivait à même les corps. Tous identiques, dans un besoin grégaire, un désir angoissant d'uniformité. L'uniforme était toujours le signe d'un asservissement, consenti ou imposé. Quand un régime politique voulait régner, contrôler, anéantir tout risque d'opposition, il s'attaquait au vêtement en l'uniformisant, comme dans l'armée ou les pensions ou encore l'Eglise, où tous s'habillent identiquement comme un signe d'anéantissement du goût, comme le signe d'un consentement à se mettre sous l'autorité d'une puissance supérieure à soi : l'Etat, la société, Dieu. Quand la Chine bascule dans la Chine populaire, Mao Zedong impose au peuple le port du bleu de travail, anéantissant même les genres, hommes et femmes vêtus à l'identique ; quand les régimes arabes se font dictatures, déclarées ou insidieuses, ils se servent de la foi comme d'une loi pour imposer le port de la burka. C'était d'ailleurs souvent aux corps des femmes qu'une société s'en prenait, leur enjoignant de rester à leur place : le plus loin possible du pouvoir. Il fallait contraindre leurs corps à ne pas se mouvoir ; la mode devenait ainsi l'instrument insidieux de leur paralysie, enfin, de leur soumission. Pendant des siècles, les Chinois bandaient les pieds des filles dès l'enfance pour qu'à l'âge adulte ils ne dépassent pas la taille de sept centimètres. Les femmes ne pouvaient plus marcher, réduites à n'être que des objets décoratifs, des fleurs de lotus vivantes ayant pour seule mission d'enchanter les hommes. En France, au XVIIe siècle, apparut un étrange corset de fer qui servait à affiner la taille, petit corps mort qu'on ajoutait aux corps des femmes en même temps que paniers, poufs et cerceaux comme autant de cages géantes, achevant de les transformer en poupées mécaniques. Les esclaves, on marquait leur peau au fer rouge du « logo » du propriétaire auxquels ils appartenaient ; et plus tard, les déportés en camp de concentration auraient un numéro tatoué sur l'avant-bras. Aujourd'hui, certains se tatouaient en signe d'une réinvention de soi, pour rompre avec un milieu et s'afficher dans un autre en se montrant différents. Je croyais en leur sincérité, en leur désir de perpétuer certains signes de l'underground, l'esprit d'une rébellion et pourtant, quelque chose dans ce geste me gênait, me rappelant trop l'histoire du marquage des corps pour ne pas y craindre le symbole d'un auto-assujetissement à un groupe, quel qu'il soit. Mais parfois, il suffisait d'un signe qui en ébréchait la forme pour corrompre la pérennité d'un système, pour montrer qu'on pensait différemment.

Caparaçonnés, maquillés, poudrés, perruqués, Valmont et la marquise de Merteuil intriguent, manipulent, et forment une microsociété secrète au cœur de la société française ultracodifiée du XVIIIᵉ. Ils revêtent leurs masques de culture raffinée et de bienséance sophistiquée comme un pourpoint damassé, une chemise amidonnée, une robe à paniers et un corset lacé, une armure de satin, de soie et de velours pourpre, bleu de cyan, argent pâle, jaune soleil, et vampirisent la société de l'intérieur. Ils s'en prendront, un temps, au corps innocent de la présidente de Tourvel, pure et vertueuse, petit jouet entre leurs mots. Mais l'amour s'en mêle et dérègle le jeu. A la fin, Valmont paye moins le tribut de ses vices que celui de son amour, force révolutionnaire qui lui aura arraché ses masques en même temps qu'elle l'arrache à son simulacre d'existence. Mais le masque était, ici, ce qui le maintenait en vie. Sans cette prothèse qui lui permet de vivre en société, Valmont meurt. Chordelos de Laclos écrit *Les Liaisons dangereuses* sous la forme d'un roman épistolaire. Les événements n'existent pas en dehors du langage des protagonistes – ultime masque dont Laclos les pare pour assurer leur survie.

Son masque arraché, des flots de sang avaient jailli de son visage. Et puis il s'était évanoui, parce qu'il n'y avait rien derrière le masque : le masque ne cachait pas la personne, contrairement à ce qu'elle avait toujours cru, il *était* la personne. Longtemps, elle avait été fascinée par ces femmes à l'élégance extrême, anachronique, qui en faisait, à ses yeux, de véritables énigmes. Quelle vie avait eue cette femme hiératique qui déjeunait seule chaque samedi chez Angelina, coiffée d'un turban vert d'eau, vêtue de manteaux Balenciaga, de tailleurs d'un autre temps, d'un sac Hermès en crocodile brun ? Elle avait quarante ans de plus que moi, mais je craignais de me retrouver en elle comme dans un miroir qui m'annonçait ce que je deviendrais, puisque je déjeunais souvent à quelques tables d'elle, seule moi aussi chez Angelina. Un jour, je l'avais surprise traversant les jardins du Palais-Royal et je l'avais suivie : elle était entrée chez Didier Ludot, avait demandé le prix d'une courte cape en vison blanc, puis avait disparu au détour d'une colonne. Quelles avaient été les amours de cette femme qu'elle voyait chaque 31 décembre au Meurice, glisser le long des parois vitrées du bar comme un fantôme, toujours vêtue d'un long manteau de vison brun, d'une immense toque de la même fourrure ? Elle s'asseyait à la même table, commandait un café qu'elle faisait durer jusqu'à minuit, tenant sa tasse d'une main sertie de diamants — de l'autre, elle serrait sur ses genoux un sac en plastique Monoprix. Avait-elle aimé, en secret, un homme qui était mort des années auparavant, lui faisant défaut un 31 décembre où ils avaient rendez-vous au bar du Meurice ? Et depuis, chaque année, elle revenait l'attendre, dans l'espoir qu'il reviendrait à la vie honorer sa promesse. Et puis c'est elle qui, un jour, n'était plus revenue. Et cette femme qui ressemblait à une actrice célèbre, qui apparaissait place Saint-Sulpice après minuit, une ample cape en léopard sur les épaules, les jambes nues en plein hiver dans des ballerines à boucles Roger Vivier, fumant des cigarettes ultrafines — quel était son secret ? Elles avaient peut-être été, comme je le serai des années plus tard, brutalement éjectées de leur utopie amoureuse, et elles avaient passé le reste de leur vie à la prolonger, à faire durer leur idéal romanesque même si elles étaient les seules à y croire encore.

Quel était le secret de ces hommes à l'élégance d'un autre temps, qu'elle avait si passionnément aimés parce qu'ils incarnaient tout le romanesque d'un rêve qui s'évapore au petit matin et qu'elle s'entêtait à retenir ? Des hybrides entre le songe et la réalité, des Sphinx dont il lui fallait toujours déchiffrer l'énigme. Alors elle avait recommencé, avec tous, la même erreur : elle tentait d'arracher leurs masques pour voir si, derrière, il y avait quelqu'un — et pour elle, un peu d'amour ;

et à chaque fois, elle reculait d'horreur, constatant qu'il n'y avait personne. Le masque ne cachait rien, et encore moins un secret, le mystère n'était beau qu'en lui-même. Plus la boîte de Pandore était belle, et plus elle était vide. Ces femmes qu'elle trouvait fascinantes, ces hommes qu'elle avait aimés, portaient sur eux *tout* ce qu'ils étaient. L'habit faisait, littéralement, le moine, et le masque, l'homme, profondeur et superficie confondues en un même vêtement, avec une littéralité qui la désarçonnait toujours. Tout était là : un masque sans visage, un masque pour visage, un masque en guise de visage pour cacher que derrière, il n'y avait rien qu'elle et son fantasme, rien que la petite fille romanesque qui pensait que chaque être et chaque vêtement contenaient une multitude de romans qu'elle désirait déchiffrer jusqu'à l'obsession, que s'y cachaient toujours le plus grand des amours, la plus merveilleuse des histoires. Mais c'est toujours sur elle qu'elle finissait par tomber derrière le masque arraché des autres, toujours dans son propre vertige qu'elle sombrait.

Un siècle après *Les Liaisons dangereuses*, Bram Stoker écrit *Dracula* sur le même patron : l'intrigue, l'histoire, ne sont restituées que par les mots des protagonistes. *Dracula* n'est pas un récit linéaire mais un corps textuel fragmenté, morcelé par une absence : un puzzle exclusivement formé des lettres ou des extraits des journaux intimes de ses héros – Jonathan Harker, Lucy Westenra, Mina Harker, le docteur Seward, le professeur Van Helsing –, et même, parfois, de coupures de presse. La seule parole qui manque, c'est celle de Dracula. Il ne pourrait écrire parce qu'il n'est pas humain, parce qu'il n'est pas vivant, parce que son corps mute constamment en corps animal, parce qu'il n'est qu'un barbare assoiffé de sang, parce qu'il a damné son corps, parce que le verbe, l'écriture, seraient toujours du côté de Dieu, des hommes de Dieu, de ceux qui luttent pour le bien (tous les protagonistes de *Dracula* sauf Dracula). Mais s'il ne prend pas part au récit comme les autres, existe-t-il seulement ? Il n'apparaît pas dans les miroirs. Et s'il peut s'incarner en des formes diverses, n'ayant guère plus d'existence que la poussière ou la lumière ou encore la fumée qui véhiculent si souvent les particules de son être pour le faire apparaître ici ou là, sous le masque d'un visage livide aux yeux rouge sang et aux lèvres cramoisies, c'est qu'il n'est qu'un mirage que tous prétendent avoir vu, une utopie impossible et terrifiante que tous décrivent sous des formes différentes, une hallucination collective qui revêt des vêtements différents selon qui le regarde. Dracula n'existe pas en dehors de leur langage parce qu'il n'existe pas en dehors de leur regard – ni de leur désir. Ce sont eux, les vivants, les « purs », qui le rêvent (Dracula n'apparaît que la nuit et ne suce le sang de ses victimes que durant leur sommeil), puis veulent l'exorciser. Dracula est cette projection commune à tous les personnages du roman – leur seul dénominateur commun. Peut-être parce qu'il n'est pas cet Autre à l'humanité, comme ils aimeraient tant s'en convaincre. Il fait partie de leur être intime, et de leur corps collectif. Dracula est cet être de poussière dont les particules résident dans la psyché de tous, et les constituent. Dracula est un concept, celui de leur pulsion la plus secrète, la plus refoulée. Pulsion de mort. Pulsion animale. Désir de meurtre. Désir de dévorer l'autre, de s'abreuver de son sang, d'absorber sa substance vitale pour assurer sa propre survie.

« Les hommes mouraient : et leurs ossements n'avaient pas de tombeaux ; ceux qui restaient encore, faibles et amaigris, se mangeaient les uns les autres. »
Lord Byron, *Les Ténèbres*.

La lumière lui brûlait la peau, les yeux. Elle craignait que son corps n'explose et ne prenne feu comme celui des vampires qui s'aventurent au soleil chez John Carpenter. Alors elle attend les jours d'hiver, quand la nuit tombe tôt, pour se rendre chez Deyrolle. Elle y a commandé un animal qu'ils n'avaient jamais songé à empailler. Ils ont des tigres et des girafes et des insectes terrifiants, mais pas de chauve-souris. Elle marche lentement dans les couloirs de cette étrange boutique peuplée d'animaux morts, d'animaux sauvages qui furent un temps dangereux mais qu'on a rendus décoratifs en les empaillant, qui se sont nourris du sang et de la chair d'autres animaux et qui, à présent, orneront quelques jolis appartements. Elle réalise pour la première fois que les gens la regardent bizarrement.

« Je voulais que les décors de mon film, ce soient les vêtements », explique Coppola dans le *making of* de son *Dracula*. « J'allais diriger le film avec des vêtements, j'allais mettre une bonne partie du budget dans les costumes et diminuer les décors en les rendant plus "imaginaires", en utilisant l'espace et les ombres. Je voulais faire du costume le joyau du décor. » Avant *Dracula* en 1992, Francis Ford Coppola a tourné *Le Parrain* (1972), *Conversation secrète* (1974), *Apocalypse Now* (1979). Des histoires de corps menaçant la cohésion du corps social. La mafia avec *Le Parrain*, société secrète qui vit infiltrée en réseau dans la société, pieuvre qui s'y étend et s'en nourrit ; l'espionnage avec *Conversation secrète*, encore une histoire de société secrète dans la société ; l'armée dans *Apocalypse Now*, qui décime les hommes pour détruire leur pays. En 1992, *Dracula* est encore l'histoire d'un corps secret qui tente d'infiltrer et de se nourrir d'un corps collectif. Son arme : multiplier les apparences.

« Dracula a un style très cliché dans l'histoire des films de vampires. Francis voulait qu'on réduise ce cliché pour créer notre propre vision, qu'on ne sache plus si c'est un vieux ou un jeune, un homme ou une femme, un humain ou une bête. Qui serait-il ? Certaines des idées de costumes sont basées sur des tatous, d'autres sur des insectes. Pour une robe de mariée, je me suis inspirée du lézard. Mon image de Dracula, c'est qu'il doit avoir un million de visages : il incarne une transformation sans fin », explique Eiko Ishioka, à qui le metteur en scène confie la création des costumes. Lors de leur premier rendez-vous de travail, Coppola lui montre des tableaux symbolistes, en insistant sur *Le Baiser* de Klimt.

Sur cette toile, un homme et une femme s'étreignent, leurs deux corps recouverts d'un même vêtement, longue cape à motifs géométriques dorés, qui les rassemble comme si la femme avait fusionné avec l'homme, comme s'ils vivaient tous deux à l'intérieur de la même peau, une chimère amoureuse. Pour la scène où, vêtu d'un costume blanc, Dracula apprend que celle qu'il aime ne le rejoindra pas, Coppola lui donne le visage de la Bête dans *La Belle et la Bête* de Cocteau, et lui fait verser des larmes de sang. Comme la Bête, il n'en finit pas de faire de son corps un sanctuaire où attendre le consentement de celle qui, seule, pourrait le délivrer de sa mort.

Et ma garde-robe était devenue un tombeau : robes solides, manteaux rigides, carapaces qui m'empêchaient de vivre pour mieux garder incarné encore en moi un amour pourtant enfui. Je l'immortalisais en le nourrissant de ma vie, son souvenir me vampirisait, me détachait peu à peu du monde des vivants. Je m'y prêtais le jour en multipliant les masques, pour mieux passer inaperçue, pour que personne ne soupçonne que je m'étais mise à vivre à contre-courant.

« "Le vampire vit sans craindre le temps qui, coulant, ne peut pourtant suffire pour lui apporter la mort. Il continue son existence aussi longtemps qu'il peut se gorger du sang des vivants. Mieux (nous l'avons vu de nos propres yeux) : tant qu'il peut absorber du sang humain, il rajeunit, reprend des forces, les décuple, comme un homme qui aurait découvert la fontaine d'éternelle jeunesse. Mais du sang, il lui en faut. C'est pour lui une nécessité vitale. Il ne consomme rien d'autre. Notre ami Jonathan, qui a vécu des semaines à ses côtés, ne l'a jamais vu absorber la moindre nourriture. Autres détails : il ne projette pas d'ombre et, comme Jonathan l'a observé, ne se reflète pas dans le miroir. Ses mains possèdent la puissance de vingt hommes – une fois encore, notre ami en a eu la preuve quand le comte a refermé la porte sur les loups, ou plus simplement, quand il l'a aidé à descendre de voiture. Il peut se transformer en loup – souvenons-nous de l'arrivée du bateau à Whitby, quand il a déchiqueté un chien. Il peut prendre la forme d'une chauve-souris, comme Mrs Mina l'a constaté à Whitby, comme mon ami John l'a vu quand il a quitté sa maison, si proche de celle-ci, et comme mon ami Quincey l'a observé devant les fenêtres de Miss Lucy. Il peut créer le brouillard – le capitaine du bateau l'a appris à ses dépens. Pourtant, d'après ce que nous savons, il ne peut créer le brouillard que sur une petite étendue – une étendue suffisante pour qu'il puisse se dissimuler. Dans les rayons de lune, il arrive sous forme de grains de poussière – une fois encore, c'est l'ami Jonathan qui nous en fournit la preuve, puisque telle fut la forme sous laquelle lui apparurent les jeunes femmes, dans le château de Dracula. Il peut varier de taille – nous avons nous-mêmes vu Miss Lucy, avant qu'elle n'eût trouvé la paix éternelle, passer par une minuscule fente de son tombeau. Quand il cherche son chemin, il peut sortir de n'importe quoi, entrer n'importe où, quelque hermétique que soit l'ouverture qui lui fait obstacle. Enfin, il peut voir dans le noir – une puissance d'importance dans le monde presque sans lumière qu'est le sien." Et le professeur Van Helsing conclut : "Nous possédons par exemple l'avantage du nombre, alors que le vampire reste seul." »

Bram Stoker, *Dracula*.

Coppola avait déjà travaillé autour d'un personnage seul contre le nombre – un corps idéaliste qui a tenté « d'infiltrer » la société des privilégiés, par amour, une utopie révolutionnaire, et qui en sera éliminé, puni d'avoir voulu vivre au-dessus des moyens que la société lui a désignés, d'avoir donné des fêtes somptueuses, de s'être vêtu de costumes ostentatoires, de chemises de soie trop fines pour un homme de sa classe. La société finira par le punir : il n'aurait jamais dû vouloir trahir la place qu'elle lui avait assignée. En 1974, Coppola signe le scénario de *Gatsby le Magnifique*.

Tout brille dans le roman de Scott Fitzgerald. Des chemises d'argent et des robes d'or, la mousseline irisée des robes de Daisy, les diamants des femmes dans la nuit : l'écriture de Fitzgerald restitue la beauté impalpable de la lumière pour mieux traduire ce qu'est l'amour, rien qu'un mirage. Fitzgerald avait compris que la cruauté des classes sociales se joue partout, toujours, y compris dans ce qui ressemble à un rêve pur et romantique, le sentiment amoureux. Un idéal intime, sans cesse anéanti par le nombre – de la poussière d'étoiles qui ne pourra jamais prendre corps. Gatsby, parce qu'il porte en lui une idée sublime de l'amour, parce qu'il en a fait un idéal de vie, s'impose comme un corps subversif qui, s'il atteint son but, épouser Daisy, défiera les règles d'une société qui ne tient que par son système de castes. Il ne sera jamais le narrateur du roman – Fitzgerald non plus, qui finira fracassé sur ses rêves à force d'avoir vécu au-dessus de ses moyens. C'est Nick Carraway qu'il prend pour masque – un patricien, lui aussi, d'ailleurs cousin de Daisy. Il vient d'avoir trente ans. Il sera le seul, avec le père de Gatsby, à se rendre à ses funérailles – alors qu'ils furent des milliers à jouir de ses fêtes. Ses illusions de jeune homme finiront dans le cercueil de Gatsby.

« Mon Dieu, qui êtes-vous ? Je vous connais.
— J'ai traversé des océans d'éternité pour vous retrouver. »
(*Dracula*, Francis Ford Coppola)

« La question, c'est : pourquoi voulons-nous refaire un film autour d'une histoire qui a déjà été racontée par d'autres ? » commence Coppola lors d'une réunion de travail avec Eiko Ishioka. Ce qu'il ressent de Dracula, ce qu'il va lui ajouter en livrant sa propre version du monstre, c'est son humanité, son romantisme éperdu. Il sous-titre alors son film : *Love never dies*. Dracula combat contre les Turcs qui veulent envahir son pays, la Roumanie – Vlad III, le prince empaleur, qui inspira le personnage du vampire, combattait en effet contre l'envahisseur turc. Ce qui, en revanche, n'appartient pas à l'histoire ni au roman de Bram Stoker, c'est le suicide de sa femme : en apprenant la mort de son bien-aimé sur le champ de bataille, la princesse se jette du haut de la tour la plus haute du château. Mais le prince revient, sain et sauf. Il s'est battu pour sa nation et pour Dieu, et pour quoi ? Pendant son absence, sa femme lui a été ravie. Alors Dracula défiera Dieu, et en le défiant, se condamne à vivre une non-vie de non-mort, dans un corps artificiel.

« En 1986, Francis a tourné *Jardins de pierre*. Ce film parlait de la garde d'honneur du cimetière d'Arlington, qui enterrait les soldats morts au Vietnam. Pendant ce tournage, notre fils Gio a été tué dans un accident, et nous nous sommes retrouvés au cœur même du thème du film. La famille et le voyage intérieur de Francis ont continué à faire partie intégrante de ses films. En 1989, durant le tournage du *Parrain III*, l'actrice qui devait jouer la fille de Michael Corleone est tombée malade à la dernière minute et n'a pas pu travailler. Francis a donné le rôle à notre fille de dix-huit ans, Sofia. Puis, en réfléchissant au prix le plus fort que pouvait payer son personnage principal, il a changé le scénario et a remplacé l'assassinat par balles de Michael Corleone par la mort accidentelle de sa fille qui tombe sous une balle lui étant destinée, le laissant en vie avec sa douleur. »
Eleanor Coppola, *Apocalypse Now : Journal*.

Trois ans plus tard, il tourne *Dracula*, l'histoire d'un homme condamné à vivre éternellement avec sa douleur, qui donne à son corps la froideur d'une statue pour préserver son amour des ravages du temps et de la mort.

Je ne m'habillais plus qu'en noir. A ceux (nombreux) qui me le reprochaient, je répondais fièrement qu'il m'arrivait de porter du blanc. Alors que mon goût, en train de changer, me portait vers des vêtements que je trouvais beaux mais que les autres jugeaient macabres, je tentais de donner le change, de leur dissimuler mon chagrin en ponctuant mes tenues d'une touche claire sous mes capes noires : écharpes blanches, chemises blanches. Un jour, j'étais sortie habillée tout en blanc du côté gauche, tout en noir du côté droit, comme les pions d'un jeu d'échecs fusionnant en un même corps. Je conservais depuis l'enfance un jeu d'échecs miniature : des reines et des fous nains dans une petite boîte portative en cuir, à glisser dans ma poche, pour qu'ils ne me quittent jamais – ces échecs me venaient de mon père, c'était tout ce qu'il m'avait transmis. Autant capituler : c'était comme un rideau sombre qui me tombait des épaules aux chevilles. Je m'étais fait confectionner une cape dans une étrange fourrure, une sorte de long pelage noir. Et quand je la portais, les commentaires ne manquaient pas d'affluer : « du singe mongolien ? » Au début, j'avais ri de bon cœur avec eux. La vérité, c'est que je m'en fichais complètement d'avoir l'air d'une folle, et me contentais de répondre, amusée d'apercevoir une lueur de crainte dans leurs yeux : « Ce sont des cheveux humains. »

Dans *Le Vampire* (1819), la nouvelle commencée par Lord Byron et achevée par son médecin et meilleur ennemi, John Polidori, le vampire, Lord Ruthven (inspiré de Byron lui-même) dévore les femmes qu'il aime. Dans *Carmilla* (1872), Sheridan Le Fanu met en scène une jeune vampire qui s'éprend d'une mortelle jusqu'à l'obsession. Dans *La Morte amoureuse* (1836) de Théophile Gautier, la belle Clarimonde revient hanter les vivants et rencontre un jeune et beau prêtre qu'elle détourne de la voie : comme elle l'aime et qu'elle ne veut pas le tromper, elle est condamnée à ne pas sucer le sang d'autres hommes mais seulement celui de son compagnon. La pulsion amoureuse est vampirique. On accepte comme un fait entendu que l'érotisme du vampire réside dans sa pulsion carnassière : sucer le sang de ses victimes ne relève pas seulement de l'acte de se nourrir, mais de jouir de leurs corps. Une incisive plantée dans une gorge équivaut à un coït. Pour le vaincre, il faut lui enfoncer un pieu dans le cœur, preuve que la source de tous les maux réside dans ce cœur resté vivant dans un corps mort – un cœur qui refuse de s'arrêter de battre.

« La Femme vampire » : c'est ainsi que Valentina surnommait Garbo, et quand George était mort en 1964, elle avait fait exorciser leur appartement, comme si Garbo avait été un esprit maléfique qui entrait en possession des corps contre leur gré. Comme Dracula, elle s'habillait, depuis son plus jeune âge, de longues capes de velours sombre. Comme tout vampire, elle avait eu une multitude d'apparences à travers ses rôles au cinéma. Beaucoup dirent qu'elle prenait sans cesse des autres sans jamais rien donner. A la fin de sa vie, elle se dépêchait de rentrer chez elle pour ne pas croiser Valentina qui sortait à 18 heures. Et quand cela se produisait, Valentina se contentait de passer sans même lui jeter un regard, comme si elle n'avait eu ni corps ni existence.

Et toutes mes nouvelles robes finirent par m'ensevelir. Je m'étais condamnée à errer dans un palais désaffecté, où les meubles étaient couverts d'une peau de poussière et les rideaux déchiquetés. J'y errais seule, en longue robe de velours aussi surannée que le costume du vampire évoluant dans son château privé de lumière naturelle, répétant les rituels d'un homme du monde, rituels rendus dérisoires, contenants sans contenu, signes détournés et vidés de leur sens pour mieux les transgresser : smoking noir, chemise et faux col amidonnés et nœud papillon d'une blancheur immaculée, longue cape sombre. Dracula se distingue d'abord des vivants par son apparence : un homme *overdressed* en permanence, dont la vie n'est plus qu'une éternelle soirée à l'Opéra que la société aurait désertée. Il ne supporte que la lumière artificielle comme un acteur ne vivrait qu'enfermé dans son rôle, sur une éternelle scène de théâtre. Mais le spectacle, en s'extrayant de la vie, il l'a pulvérisé depuis longtemps, puis il en a ingéré, une à une, chaque molécule, jusqu'à devenir son propre spectacle, qu'il joue chaque nuit à guichets clos, pour lui seul, sans plus personne pour le regarder.

Bela Lugosi fut enterré avec sa cape – la cape noire qu'il portait dans le film de Tod Browning où il jouait Dracula. Il ne parvint jamais à lui échapper. Elle le rattraperait toujours comme la grande aile noire de la fatalité. Lugosi était né le 20 octobre 1882 à Lugos, en Transylvanie, Roumanie, sur les terres de Dracula. Toute sa vie, il coïnciderait avec son ancêtre jusqu'à se prendre véritablement pour un vampire. Il avait incarné le parfait prototype de Dracula, en était même devenu le logo, qui allait marquer des générations et des cinéastes qui s'y référeraient toujours. S'il avait longtemps survécu à Hollywood, c'était grâce à son rôle de vampire. Histoire d'une double dévoration : Bela Lugosi vampirisait son rôle et son rôle le vampiriserait en retour. Alors sa cape devint son linceul.

Alors elle s'était vue dans les miroirs, évoluant parmi les animaux morts : une longue cape de velours noir traînait loin derrière elle, jetée sur une robe de fils d'or formant des motifs géométriques comme la chasuble de la toile de Klimt. Un bijou encerclait ses longs cheveux noirs de serpents d'or entrelacés. Elle était d'une pâleur de cadavre. Ses yeux mats étaient cernés de bleu, et ses ongles, très longs, peints en argent. Deux enfants s'étaient éloignés du monstre et la regardaient terrifiés, tirant sur la manche de leur mère qui tentait de les éloigner de l'étrange apparition. Un groupe d'adolescents s'était réfugié au fond du magasin pour l'observer plus à leur aise. Un couple, plus loin, la montrait du doigt. Un homme la frôla en lui adressant un sourire complice. Alors, elle s'enfuit. Dans la rue, un homme lui arracha sa cape, un autre, alors qu'elle s'était mise à courir, lui déchira une manche en tentant de la retenir. Elle n'entendit plus que les éclats de rire de quelques femmes en s'engouffrant dans un taxi.

Publié en 1991, *Vampire : The Masquerade* est le premier jeu de rôle de l'univers gothic-punk. Dans ce jeu, la « mascarade », chez le vampire, c'est l'art de se dissimuler parmi les mortels, de pouvoir vivre parmi eux, dans leurs sociétés, sans s'y faire remarquer, sans courir le risque d'être chassés : en invisibles.

Dans un temps qui semblait le plus permissif de tous, pouvait-on s'habiller comme on le voulait vraiment ? Si vous étiez vêtu avec recherche, vous seriez perçu comme frivole, jugé superficiel dans certains milieux professionnels ;

dans d'autres, si vous affichiez des marques, on vous « suspectait » d'avoir de l'argent, comme si le dépenser en vêtements était forcément illégitime, on vous jalouserait, et on vous le reprocherait désormais toujours ; à l'inverse, dans certains sérails, si vos vêtements témoignaient de votre manque de moyens, vous seriez perçu comme un raté, un inférieur, et méprisé, enfin, exclu. Si vous sortiez dans la rue entièrement nu, vous seriez arrêté. Si vous arboriez un masque ou quoi que ce soit dissimulant votre visage, vous risquiez des sanctions. Et si vous décidiez un jour de sortir affublé d'un manteau à traîne en plumes d'autruche, d'une perruque rose et d'un caniche bleu, tôt ou tard, quelque chose ou quelqu'un vous arrêterait – impossible de déroger à l'apparence que la société adoubait, que la masse acceptait, que la mode dictait. Nous disposions de plus de liberté, et pourtant, c'était dans le style que ça résistait. C'était sur notre apparence vestimentaire que se lisaient encore les limites que le monde nous impartissait. C'était aujourd'hui encore par le vêtement, paradoxalement considéré comme superficiel, voire franchement dérisoire, que le rapport de forces s'opérait entre liberté individuelle et ordre collectif, entre expression personnelle et regard social. Un corps affichant sa différence, la prolongeant avec ostentation par le vêtement, se verrait rejeté par le corps collectif qui projetait son unification (illusion, simulacre ?) dans l'uniformité vestimentaire. Une apparence différente, une parure différente, et c'était comme une différence d'intention que vous brandissiez : un danger pour l'union, la cohésion sociale. Vous veniez de la rejeter par votre choix, de la vider de son sens en s'attaquant à sa forme. Vous

221

représenteriez un « non » barré sur ses règles, par votre divergence, une entaille dans sa propre chair, une atteinte à l'intégrité de son corps, au risque de le désagréger, et de corrompre dès lors, comme le fétiche qu'on entaille, toutes ses chances de pérennité. Alors vous deveniez un corps suspect.

Pour se débarrasser du vampire, on lui enfonçait un pieu dans le cœur, mais pas seulement : il fallait aussi le décapiter. Il fallait lui couper la tête parce qu'elle était le siège du masque. Sans tête, pas de masque.

Il vivait la nuit. Il n'y avait que la nuit qu'il pouvait être lui-même – bizarre. Sortir avec des accoutrements étranges, colorés, exacerbant encore ses rondeurs, de la peinture verte sur la tête, des faux cils blancs, superposant avec du rouge à lèvres une bouche énorme, clownesque, sur sa propre bouche, comme s'il souriait en permanence. Comme s'il était, toujours, heureux.

Et pourtant, il était nu la première fois que je le vis. Un corps énorme, surmonté d'une tête de chérubin, un crâne lisse de bébé. Et même nu sa présence était aussi attirante qu'asphyxiante. C'était en 1993, à la Whitechapel Gallery, à Londres, lors d'une exposition consacrée à Lucian Freud. J'avais lu son nom à côté de cette toile monumentale : Leigh Bowery. Cette toile de 1990 représente une apogée dans le travail du peintre. Peut-être parce qu'il fut le seul à avoir réussi à déshabiller le « monstre » – à en avoir révélé l'ultime vérité, la nudité de ce corps qui se soustrayait au regard et s'offre

222

enfin sans défense –, peut-être parce qu'il y avait une certaine jouissance, malsaine, à pouvoir le scruter sans son armure de vêtements, de maquillage, d'extravagance ? Il meurt peu après, en 1994.

« Je me vois le matin, après mon bain, comme une toile vierge sur laquelle je vais peindre une nouvelle créature. »
(Leigh Bowery)

Mais même sur la toile de Lucian Freud, il n'était pas nu : il s'était travesti du regard du peintre. Ce n'était pas lui qu'on voyait nu, mais une nouvelle de ses créatures, vampirisant le pinceau de Lucian Freud pour se travestir encore. Il paraît qu'il avait accepté de poser parce qu'il avait besoin d'argent, et qu'après la toute dernière séance, il s'était emparé des pinceaux pour inscrire sur une toile : « Fuck you Lucian Freud ». Il était irrécupérable. Il ne se compromettait jamais. Son corps n'appartenait qu'à lui et lui, il n'était pas à vendre. « Je tiens à être clair d'emblée : la mode me pose un problème, car on doit attirer beaucoup de gens, alors que je ne veux attirer qu'une ou deux personnes. Qu'ils s'intéressent à moi mais qu'ils ne me copient jamais. Donc pour moi, produire des vêtements pour une majorité de gens est un problème. Ce n'est pas que je ne fais pas attention aux tendances, mais c'est pour en choisir une seule, que je peux exacerber, ou alors faire exactement le contraire, ou encore la parodier », déclarait-il dans un documentaire. Sa peau, il se la crée lui-même, en cousant ses propres vêtements qu'il refusera toujours de « marketer ». On l'a défini comme designer, œuvre d'art vivante, performer, pop star, clubber. Il ne revêtait pas cette peau magique le jour, parce qu'il avait compris qu'elle serait insupportable aux autres, mais seulement à la nuit tombée pour se rendre dans les clubs londoniens, la seule scène où il pouvait se permettre d'être lui-même, d'évoluer dans ses costumes transsexuels ou plutôt, asexuels. Adolescent à Sunshine, dans la banlieue de Melbourne, il rêve des clubs de Londres, dont le Blitz où de jeunes gens font salon, s'habillent enfin comme ils le désirent pour fuir les restrictions morales et économiques de l'Angleterre sous Margaret Thatcher. Une journaliste les a surnommés le Bromley Contingent, parce que ces gamins venaient de Bromley, une des banlieues sinistres de Londres. Ils deviendront Sid Vicious, Siouxsie Sioux, Billy Idol. En 1973, J.G. Ballard écrivait *Crash !* depuis son pavillon de Shepperton, une autre banlieue sinistre de Londres, et plus tard il me dirait lors d'un entretien que la banlieue est « le laboratoire de toutes les pathologies de la société ». Au milieu des années soixante-dix, ces gamins vivaient la banlieue comme une marge pathologiquement normative, dont ils voulaient s'échapper pour vivre à Londres. Un centre dont ils feront, la nuit, un lieu merveilleux où renaître dans une peau rêvée. Leigh Bowery les rejoint en 1980. Il ne fera partie d'aucun mouvement, même si on l'associe souvent aux Nouveaux Romantiques. Dès qu'on le copiait, il changeait d'apparence. Dès qu'un club devenait grand public, il l'abandonnait. En 1985, il ouvre le Taboo, qui deviendra l'épicentre de tous les extrêmes. Il le ferme en 1987 dès qu'il devient *mainstream*. Il a été au centre de la scène artistique anglaise, mais sans en tirer d'autre parti que celui d'apparaître. Il a influencé John Galliano, Alexander McQueen, Gareth Pugh. Mais dans la vie, son style faisait peur aux hommes et il allait baiser dans les chiottes publiques. Il partageait son appartement avec son ami Trojan, qui fut un temps son amant et qui, maquillé et habillé par lui, officiait à la porte du Taboo. Mais Trojan meurt du sida à la fin des années quatre-vingt. Leigh Bowery sombre dans la dépression, et ne se protége plus. Il meurt lui aussi du sida, à trente-trois ans, dans une chambre du Middlesex Hospital.

Vingt ans plus tard, le bruit des marteaux-piqueurs me réveille chaque matin. Sous mes yeux, un champ de ruines sur lequel commence à s'élever un squelette d'immeuble. Je me réveille à Fitzrovia, dans un immeuble victorien dont les fenêtres donnèrent un temps sur le Middlesex Hospital, avant qu'il ne soit remplacé par un trou béant, un terrain vague où des hommes à casques jaunes s'affairent avec leurs grues. Des promoteurs ont détruit l'hôpital pour y construire des immeubles de luxe qu'ils vendront à des aristocrates anglais, des oligarques russes, des nouveaux riches chinois ou des fortunes saoudiennes.

« Va chercher ses fragments dans les marais, et lave-les à la rosée du soir », écrit Oscar Wilde dans son poème, *La Sphinge*. « Puis de ces morceaux assemblés, recrée ton amant mutilé / Va les chercher où ils reposent solitaires, puis de ces morceaux désunis, / Recrée ton compagnon meurtri ! Eveille encore de folles passions dans la pierre insensible ! / Charme d'hymnes syriens sa faible oreille, il aimait ton corps ! / O sois bonne ! / Verse du nard sur ses cheveux, enroule sur ses membres des bandes de lin douces ! / Va couronner son front de pierres ciselées ! teinter sa lèvre pâle avec des rouges fruits ! / Et tisser sur ses flancs amaigris de la pourpre et de la pourpre encore pour ses reins décharnés ! »

Un vers, pourtant, de ce poème que Wilde écrivit très jeune, me semblait étrange : « Allonge-toi sur l'herbe près de lui, et plante tes dents blanches dans sa gorge. »

Dracula condamne son corps à la vie artificielle : un cœur qui bat dans un corps mort, une vie solitaire à l'envers de celle des vivants, un corps contre nature. Un corps contre nature, c'est ainsi que la société victorienne verra le corps de Wilde, comme elle voyait tous les corps homosexuels – c'est son corps contre nature qu'il brandit pour la défier à travers son apparence artificielle, dont il fait une arme pour s'opposer à la doxa de son temps. C'est de son corps contre nature que la société se sentira menacée et c'est de vivre une vie contre nature qu'elle l'accusera. Elle l'arrête en 1895 dans la chambre 118 du Cadogan.

Parce qu'elle finissait toujours par les arrêter. La nouvelle venait de tomber : « L'icône pop anglaise David Bowie s'illustrera dans le prochain spot de *L'Invitation au voyage,* campagne publicitaire de Louis Vuitton débutée à l'automne 2012. David Bowie, un autre grand nom à s'associer à Louis Vuitton. Avant lui, ce sont les musiciens

Keith Richards et Bono, le réalisateur Francis Ford et sa fille Sofia Coppola, les acteurs Sean Connery et Angelina Jolie ou encore Mohamed Ali qui ont mis leur image au service de la légendaire marque au monogramme. »

Nous évitions de réserver la chambre 118 – par superstition, par crainte qu'un voile glacé ne tombe sur nous, nous figeant pour l'éternité. La chambre où tout s'arrête. Le lieu exact où une existence s'achève bien avant la mort. C'était cela le plus terrifiant, l'idée incarnée par cette chambre que pour tout un chacun, il y aurait un lieu, il y aurait une heure, où tout pouvait prendre fin. Nous évitions cette chambre parce qu'au fond, et malgré ce qui arrivera par la suite, nous ne voulions pas nous perdre. Mais une nuit, alors que l'hôtel est désert, nous longeons, main dans la main, ses couloirs labyrinthiques qui mènent à la chambre 118, ou plutôt à la porte au panneau de verre dépoli qui ouvre sur un vestibule, sorte de sas avant la chambre elle-même, un vestibule toujours éclairé comme s'il attendait, fidèle, le retour d'un être disparu, une lumière qu'on laisse allumée toute la nuit dans l'espoir qu'il reviendrait.

C'est cet homme qui avait fait du style vestimentaire une raison de vivre, sa vie même – la seule vie possible. Le style était devenu sa force de subversion, et c'est à travers lui qu'il refusait les règles sociales, notamment celles du vestiaire masculin, conservateur, uniformisé : l'homme est du côté du pouvoir, de l'autorité, donc de l'ordre, et non de ce qui serait jugé « frivole » ; Wilde s'exhibe du côté de la poésie, dès son plus jeune âge, du côté du refus d'un ordre imposé par ce qui se trouve hors de son désir et de ses mots. Il réinvente la place de l'homme dans la société. « Il se mit à aimer par-dessus tout les vêtements de cérémonie et dit à un ami : "Si j'étais seul, abandonné sur une île déserte, et que j'eusse ma garde-robe avec moi, je m'habillerais pour dîner tous les soirs." Dans la journée, renonçant à ses vêtements de Dublin, il arborait une tenue plus sportive que celle de tous ses camarades : vestons de tweed aux carreaux plus larges encore que les leurs, cravates bleu moucheté, cols hauts, chapeaux aux bords ourlés inclinés sur l'oreille. Ses épais cheveux bruns étaient coupés raisonnablement court chez le coiffeur Spiers dans High Street. Ce fut seulement la première phase de sa révolution vestimentaire, qui serait suivie, deux ans après, par un dandysme plus bizarre » (Richard Ellmann, *Oscar Wilde*). On est en 1875. Deux ans après, son cœur se brise.

En août 1875, Wilde rencontre Florence Balcombe. Elle a dix-sept ans, lui vingt. A Noël 1875, il lui offre une petite croix en or sur laquelle il a fait graver leurs deux noms. Deux ans plus tard, Balcombe rompt leurs fiançailles. Alors Wilde accumule les manteaux, et encore des manteaux, les manteaux les plus extravagants, qu'il dessine lui-même et fait faire sur mesure : « Un personnage fantomatique lui était apparu en rêve dans un pardessus dont la couleur et la forme lui évoquèrent un violoncelle. Dès son réveil, il se hâta d'esquisser ce qu'il avait vu et porta le croquis à son tailleur. Le manteau reproduisait fidèlement sa vision : selon la lumière, il se moirait tantôt de bronze tantôt de rouge, et le dos

(Wilde était particulièrement fier de son dos) affectait les contours d'un violoncelle » (Richard Ellmann). Wilde revêt la peau de ses rêves. Wilde se pare de la peau d'un fantôme, tel qu'il se rêve en sommeil et tel qu'il souhaite se réincarner au réveil – une âme flottant à l'intérieur d'un corps-manteau, un sentiment seulement, dans une peau faite de matière morte.

Il avait fait de son corps un sarcophage qui voguerait sur le fleuve du temps pour conserver un amour intact, et nier ainsi son extinction. A l'intérieur de la peau devenue rigide parce que morte, le corps avait disparu. Ne restait qu'un idéal d'amour défunt maintenu en vie artificielle pour mieux tenter de le reconstituer encore, de le faire renaître ailleurs, de le revivre plus tard, dans une répétition pathologique qui ne le mènerait qu'à répéter l'échec premier, et entraînerait son éradication la plus totale. Il avait alors passé sa vie à renouveler la peau de son rêve, à acquérir de plus en plus de manteaux, à les désirer de plus en plus extravagants, à faire de son apparence une arme contre nature, élaborant ainsi, à travers ses vêtements, toutes les étapes d'un lent et magnifique suicide.

Un jour d'automne 1982, à Manhattan, un jeune homme qui deviendrait plus tard mon ami, attend de régler sa bouteille de lait à la caisse d'une épicerie coréenne de la 2e Avenue. Il s'impatiente : devant lui, une vieille dame dont il n'aperçoit que les grandes lunettes noires, demande à l'épicier d'envelopper chacun des produits qu'elle achète. L'opération prend un temps fou, mais elle insiste : chaque denrée doit être hermétiquement enveloppée, et le jeune homme se dit qu'il en a marre de ces *weirdoes* qui hantent Manhattan. Enfin, elle tient tout spécialement à ce que le melon qu'elle achète soit non seulement, lui aussi, emballé dans du papier, mais placé dans un sac à part. Elle règle et quitte le magasin. «Vous ne l'avez pas reconnue ? C'est Garbo ! » lance l'épicier au jeune homme qui se précipite dans la rue et la reconnaît enfin : elle se tient très droite, marche à grandes enjambées, porte un bob en toile beige, un large pantalon camel, et est elle-même enveloppée dans un grand manteau ceinturé, de la même teinte que le papier kraft qui a servi à emballer ses achats. Se projette-t-elle en miniature dans ces produits de consommation qu'elle achète ? S'est-elle vécue comme une nourriture que d'autres, les hommes, la MGM, le public, ont vampirisée ? Veut-elle les envelopper, ces produits, comme elle s'enveloppe elle-même, dans un petit manteau pour mieux les protéger, pour qu'ils ne se désagrègent pas, ne s'évaporent pas, comme elle-même se perçoit en être friable porté par un manteau, des particules de poussière, un rayon de cinéma, qui ne reprendraient forme humaine qu'enveloppés dans une carapace de tissu ? Ou veut-elle les protéger d'une éventuelle contamination s'ils se touchaient dans son sac en plastique ? Elle avait peut-être craint que le corps des autres, si elle les laissait l'approcher de trop près, si elle se laissait aller à les aimer, ne corrompe le sien. Ou craignait-elle que son propre corps, désincarné par la magie maléfique du cinéma, réduit à l'inconsistance d'un faisceau lumineux, ne les contamine de son propre néant ?

Bram Stoker fait de Dracula une menace pour les hommes : un corps qui, s'il les touche, les subvertira dans leur essence première. A terme, Dracula transformerait le monde en un monde de morts vivants dont toutes les règles seraient bouleversées par sa loi physiologique : se nourrir de sang, vivre la nuit, ne plus travailler, ne plus avoir besoin d'argent ni de biens matériels, faire s'effondrer tout système de production et de reproduction, mener la société à sa perte. C'est le prétexte que prendront le professeur Van Helsing, Jonathan Harker et leurs amis pour détruire Dracula. Pourtant, le vampire ne s'en prend pas à la multitude des hommes mais à deux femmes, toutes deux les compagnes des hommes qui le traquent. Lucy, d'abord, mais surtout Mina, la fiancée puis l'épouse de Jonathan Harker – la seule à laquelle Dracula fait boire de son sang, pour qu'elle devienne sa compagne. Pourquoi la choisit-il ? Coppola avance une explication : Dracula aurait reconnu en Mina la réincarnation de sa femme suicidée des siècles plus tôt. Son amour, qu'il a maintenu en vie dans son corps mort vivant, peut alors renaître et lui apporter, enfin, la rédemption.

Quand, en 1877, Florence Balcombe rompt ses longues fiançailles avec Oscar Wilde, celui-ci lui demande de lui restituer le petit crucifix d'or qu'il lui a offert deux ans plus tôt. Comme il y avait fait graver leurs deux noms, elle ne pourrait plus le porter puisqu'elle avait choisi d'épouser un autre homme. Or Wilde se faisait vœu de conserver pour toujours cet objet détourné de son culte premier pour ne plus exister que comme le symbole mystique de leur amour défunt. C'est alors qu'il se fit faire le manteau d'un fantôme.

Et je m'étais acheté le manteau d'une morte, une étoile morte, une actrice morte depuis des décennies, pour me signifier que j'étais morte moi aussi, un fantôme portant le manteau rouge de Greta Garbo avec à l'intérieur un cœur battant, anachronique, un amour dont il n'avait plus voulu et que je conserverais patiemment dans l'espoir qu'il renaîtrait un jour. Et Garbo elle-même, qu'espérait-elle en accumulant les manteaux, en s'y enveloppant, parfois même en été quand elle sortait à l'aube sillonner les rues de Manhattan ? Les manteaux étaient devenus pour elle la plus étrange des obsessions. Il se peut que celui qu'elle portait ce jour d'automne 1982 pour faire ses courses à côté de chez elle, chez le Coréen où elle se rendait chaque semaine, ait été l'un de ceux qu'Alaïa lui avait confectionnés. Et j'avais cru le reconnaître, trente ans plus tard, à Los Angeles, lors de la vente aux enchères : un manteau en jersey de laine taupe, col officier, ceinturé à la taille, le lot 241, adjugé 1 500 dollars. Peu après, alors que j'interviewais Azzedine Alaïa, il m'avait confié avoir acheté le manteau par téléphone pour ses archives, parmi sa collection de pièces haute couture signées Madeleine Vionnet ou Jeanne Lanvin. Le manteau est, par excellence, le vêtement qui protège : il protège aussi les autres vêtements. Il existe plusieurs définitions au mot « manteau » ; en fauconnerie : « Ensemble du plumage des oiseaux, plus spécialement plumage des parties supérieures (ailes, dos) » ; en zoologie : « Chez les mollusques, repli de peau qui recouvre la masse viscérale et dont la surface externe sécrète souvent une coquille qui n'y reste pas adhérente. Sous le manteau se trouve une *cavité palléale* contenant notamment les organes respiratoires (branchies ou poumon). Chez beaucoup de bivalves, le bord du manteau s'allonge en une paire de tubes qui servent à l'entrée et à la sortie de l'eau et de la respiration » ; au théâtre : « Rôle de personnage grave et âgé (On dit aussi rôle à manteau) ».

Deviendraient-ils, eux aussi, des rôles à manteaux, des personnages graves et âgés qui vivent dans le souvenir mélancolique d'un amour vécu des décennies plus tôt ? Elle continuerait même peut-être, le dos voûté dans le manteau de Greta Garbo, à se rendre seule au Cadogan, et la Phantom blanche serait toujours là, garée à l'entrée, démarrant aussitôt qu'elle tenterait de l'approcher. Elle l'avait remarquée quand, retournant seule à Londres après leur rupture, la même voiture stationnait chaque jour devant les portes de l'hôtel. Elle sortait, rentrait, et la voiture restait là, ses vitres teintées fermées sur son secret. Alors elle s'était décidée à frapper à la portière, le cœur battant, pour voir s'il y avait quelqu'un à l'intérieur, mais dès qu'elle s'était penchée, la voiture avait démarré. Et le même manège allait se répéter pendant des mois : la Phantom, garée devant les portes du Cadogan, s'éloignait doucement dès qu'elle s'en approchait, mais revenait implacablement le lendemain. Elle avait questionné le portier : lui aussi avait remarqué l'étrange automobile, qui, disait-il, semblait n'apparaître devant l'hôtel que quand elle-même y séjournait. Un jour qu'elle rentrait par un autre chemin, elle avait eu le temps d'apercevoir par la vitre baissée l'homme qu'elle avait aimé, son regard triste, égaré, mais trop tard, la Phantom s'en allait déjà, disparaissant dans le brouillard de Sloane Street.

Elle avait remarqué son regard triste dès leur premier rendez-vous. Et chaque nuit, elle caressait son visage, parce que de toutes les caresses que se prodiguent les amants, lui disait-elle, c'est la plus amoureuse, parce que caresser le visage de l'autre c'est le reconnaître, comme un aveugle reconnaît les siens, alors elle le caressait longtemps, lentement, jusqu'à ce que sa caresse lui devienne insupportable et qu'il se penche pour l'embrasser. Lors de notre deuxième rendez-vous, j'étais habillée de façon si différente qu'il m'avait dit « vous êtes comme votre petite sœur jumelle ». Une femme aux deux visages. Alors je lui avais raconté le dernier film de Greta Garbo, et comment il avait brisé sa carrière. Tous les ingrédients d'une relation sont présents dès les premiers mots, les premiers gestes, sans qu'on les comprenne jamais, sans qu'on puisse jamais s'en prémunir contre le pire. Et déjà ce soir-là, alors que je marchais pour le rejoindre, son regard m'avait traversée comme s'il ne me reconnaissait pas, comme si je n'étais rien de plus que des particules de poussière suspendues dans la nuit.

En 1947, Greta Garbo et Cecil Beaton assistent à une représentation d'*Un tramway nommé désir* de Tennessee Williams à New York. Après la pièce, Marlon Brando demande à Garbo quel type de rôle lui donnerait envie de revenir au cinéma. « Un rôle qui ne soit ni féminin, ni masculin », lui répond-elle. Regrettait-elle de voir son visage intact à l'écran alors que son vrai visage commençait à subir les assauts du temps, à porter les traces de ses actes et de ses refus, aurait-elle souhaité inverser ce processus ? Alors elle ajoute : « Par exemple, Dorian Gray. »

Sept ans avant la parution de *Dracula*, alors même que Bram Stoker en a commencé la rédaction, Oscar Wilde invente un mort vivant : Dorian Gray devient l'allégorie de l'esthétisme et de l'hédonisme qui, poussés à l'extrême, engendrent une vie artificielle. Telle une statue, Dorian ne vieillit pas, traverse le temps sans en subir les ravages, vit dans le péché et la cruauté sans en porter les marques au visage. Oscar Wilde écrit *Le Portrait de Dorian Gray* sous l'influence d'*A rebours* de Huysmans. Comme des Esseintes, Dorian vit entouré d'œuvres d'art, de pierreries, de tapis orientaux et de porcelaine de Chine bleue – un décor qui rappelle les successifs appartements où Wilde lui-même vécut. Il est, avant Dracula, le personnage qui se damne pour que son corps devienne immortel : « Si je demeurais toujours jeune et que le portrait vieillisse à ma place ! Je donnerais tout, tout pour qu'il en soit ainsi. Il n'est rien au monde que je ne donnerais. Je donnerais mon âme ! » Figé dans une jeunesse éternelle, Dorian Gray est un corps contre nature. Il hante les marges de la société, les lieux les plus décadents. Parce qu'un soir, au théâtre, la femme qui l'aime, Sibyl Vane, a mal joué devant ses amis, Dorian la quitte cruellement. « Son expérience avec Sibyl Vane est une expérience de laboratoire esthétique, et s'achève aussi mal que les amours de Faust et Gretchen. Actrice, Sibyl Vane joue les héroïnes de Shakespeare, si bien que Dorian peut l'esthétiser dans son imagination. "J'ai eu raison, se félicite-t-il, de découvrir mon amour dans la poésie, de me choisir une épouse dans les pièces de Shakespeare." Mise à l'épreuve, Sibyl se révèle autre qu'une pure comédienne : faute rédhibitoire aux yeux de Dorian, elle prise la vie plus que l'art, et perd son talent d'actrice dès qu'au lieu de préférer les ombres à la réalité, comme naguère, l'amour l'entraîne à choisir le réel. Elle profère cette hérésie que "tout art n'est qu'un reflet" de cette réalité, et Dorian l'excommunie avec ces mots cruels : "Sans votre art, vous n'êtes rien." (...) Sibyl est le contraire de Dorian : elle renonce au masque de l'art pour vivre sans art aucun dans ce monde, au prix du suicide. Tandis que Dorian essaie de dépouiller la causalité de l'existence pour vivre dans le monde sans mort (et sans vie) de l'art, au prix, lui aussi, du suicide » (Richard Ellmann).

Florence Balcombe, elle aussi, était actrice. Oscar Wilde créa-t-il l'artifice Dorian pour assouvir son désir de la supprimer ? Et empêcher ainsi un autre homme de la posséder ?

Que voit un homme dans une femme-miroir ? Son « autre visage ». Non pas celui de la femme, qu'il lui reproche, mais le sien, inversé. Son visage « en négatif », qu'il ne peut supporter. Alors il préfère tuer le miroir. Il préfère tuer le miroir plutôt que de renoncer à l'image qu'il se fait de lui-même.

Bram Stoker s'identifiait à Jonathan Harker : Dracula tente de lui ravir la femme qu'il aime, Mina, pour l'entraîner avec lui dans la mort. Qu'exorcisait-il comme frayeurs intimes à travers son roman ? Sentait-il un danger sous la forme d'un corps contre nature peser sur le couple qu'il formait avec sa femme, Florence Balcombe ? Car Oscar Wilde et Bram Stoker avaient aimé la même femme, et fait de la fiction un miroir qui refléterait leur vie à l'envers : dans la vie, c'est Stoker qui avait ravi Florence à Wilde. Ce dernier se jeta, ensuite, dans une vie d'artifices et de plaisirs, dévouée à son apparence, à faire de son corps le plus beau des tombeaux. Mais il resta toujours proche de celle qu'il avait aimée, et Florence continuait à le voir et à lui écrire. Bram Stoker avait-il senti, tout au long de leur vie commune, l'ombre d'une grande aile noire menacer leur mariage ? Alors il invente Dracula, homme-chauve-souris, figure nocturne, le corps contre nature que la société vaincra en lui enfonçant un pieu dans le cœur – y achevant ainsi les restes d'un amour peut-être maintenu, dangereusement, en vie. Est-ce Wilde qu'il tentait d'exorciser en créant Dracula, est-ce Wilde qui lui inspire ce personnage dangereux ? En 1897, quand Bram Stoker publie *Dracula*, Oscar Wilde sort de prison, définitivement brisé.

« Ma vie ne peut être raccommodée. Une fatalité pèse sur elle. »
Oscar Wilde.

Après sa sortie de prison, sa vie ressemblerait à un manteau effiloché, un vêtement luxueux mis en pièces par les dents d'acier de la société victorienne, déchiqueté par les incisives de son amant, Lord Alfred Douglas, qui l'avait dévoré. Ses beaux habits ne l'avaient protégé de rien – il s'était, en les portant, toujours trop exposé –, et certainement pas de ce cas de vampirisme extrême que fut l'amour de sa vie. « Il n'y a pas de second acte dans la vie d'un Américain », déplorait Francis Scott Fitzgerald. Il avait tort. Dans la vie de tout homme, il existe bien un second acte, et c'était même sa vraie tragédie. Un second acte en forme de mirage qui faisait briller la possibilité d'une rédemption, mais que l'on n'atteignait, au final, jamais. L'amour, conservé dans les étoffes les plus belles, avait eu son second acte pour éclore à nouveau, s'offrir à nouveau, et c'est ce qui avait mené Wilde à sa perte. En prison, dans la geôle de Reading, dépouillé de ses manteaux extravagants, Wilde dira qu'il s'est retrouvé seul avec son âme. Il écrit à son amant une lettre d'amour et de haine (*De Profundis*) où il dresse le catalogue de ses reproches. Son jeune amant lui a pris son argent, et l'a conduit à la ruine ; il a fait du corps du poète l'arme contre nature qu'il brandirait contre son père – qu'il hait – en même temps que le bouclier pour s'en défendre – et il sacrifiera Wilde sur l'autel de cette haine, lui enjoignant de porter plainte contre son père, Lord Queensberry, pour diffamation après que celui-ci lui ait écrit un mot d'insultes (le traitant de « sodomite ») ; alors que Wilde est en prison, Bosie ne lui écrira qu'une fois, pour lui demander l'autorisation de publier ses lettres d'amour dans le *Mercure de France*, ce qui aurait encore davantage, et très gravement, nui à Wilde, mais lui aurait permis de se faire enfin remarquer, lui, en écrivain ; enfin, après la libération de Wilde, il vit un temps avec lui à Naples mais le quitte dès que sa mère menace de lui couper les vivres. Et lorsqu'à la mort de son père il hérite d'une immense fortune, il refuse de secourir Wilde vivant alors, par sa faute, dans le dénuement. Sa dernière année à Paris ressemblait au dernier acte d'une pièce où le héros voit défiler devant lui tous les personnages secondaires, le regardant sans le reconnaître, comme s'il n'était plus qu'un manteau posé sur une chaise vide, un homme invisible que le regard des autres traversait sans voir. Un an plus tôt, Bosie publiait son premier recueil de poèmes et exultait de bonheur : l'écrivain, à présent, c'était lui. Il était parvenu, à force de vampirisme, à lui prélever ce qui l'avait peut-être toujours rendu envieux. Il lui avait fait la peau et avait cru pouvoir s'en vêtir pour prendre sa place.

En amour ou en amitié, qui vampirise qui ? Tous ceux qui avaient approché Greta Garbo avaient tenté, tôt ou tard, de s'approprier un fragment de son être, de dévorer une partie de sa vie, comme nous lors de cette vente aux enchères, nous allions la dépecer à notre tour, nous approprier une part d'elle-même à travers un objet de sa garde-robe. Toute sa vie, ceux qui disaient l'aimer avaient voulu s'en servir, lui prendre quelque chose, l'entamer au risque de la détruire, s'en nourrir. Cecil Beaton, Mercedes de Acosta, et plus brièvement Lilyan Tashman et Fifi D'Orsay, ces deux actrices avec qui elle avait eu une liaison après avoir quitté John Gilbert, et tant d'autres, même les hommes plus jeunes, tel Sam Green, qui devinrent à la fin de sa vie ses compagnons de promenade, elle serait obligée de les congédier parce qu'ils se serviraient d'elle pour se faire de la publicité. On la disait froide. Elle restait peu de temps aux soirées et détestait que s'y trouvent des inconnus. Tous la « dévoraient » des yeux. Tous venaient lui demander une faveur, un secret qu'ils pourraient colporter, ou juste pouvoir se vanter qu'ils lui avaient parlé. « Elle était pourtant sociable et chaleureuse, me confie Derek Reisfield, mais elle se méfiait des importuns. » Elle se désincarnait alors sous leurs yeux, se réincarnait dans les robes et les manteaux qu'elle collectionnait, parce qu'ils lui offraient une beauté inoffensive, cette beauté qu'elle échouait à trouver chez les humains. Ils avaient fait d'elle un être qui apparaît puis disparaît, une présence absente, une femme condamnée à se dématérialiser, à hanter sa vie sentimentale par intermittence plutôt qu'à la vivre pleinement : un fantôme parmi les vampires.

En 1956, quand elle remarque ce manteau rouge dans une vitrine, qu'y voit-elle exactement ? Le sang qui coule, métaphore parfaite de l'état dans lequel elle avait passé sa vie au contact des autres. En le portant, ce manteau témoignerait de ce qu'elle n'avait jamais cessé d'être : une victime à la peau sanguinolente à force d'avoir été mordue. Ceux qui l'aimaient, ou disaient l'aimer, la détruisaient à mesure qu'ils l'approchaient : « I want to be left alone », répétait Garbo, et cette phrase était devenue son mantra, résonnant comme une malédiction. Et moi-même, des décennies plus tard, pourquoi n'avais-je enchéri que sur ce manteau rouge, et non sur cette jolie robe de crêpe pêche que lui avait créée Valentina, au prix pourtant très abordable ? C'est peut-être moi qui, finalement, avais désiré envoyer ce signe aux autres en portant ce manteau : je porte mon sang sur moi, je n'ai plus rien à l'intérieur, plus rien que vous pourriez me prendre. Et je m'étais murée vive dans le manteau de Greta Garbo, pour conserver intact l'espoir qu'un jour la vie qu'il avait déchiquetée en moi se raccommoderait. Le manteau s'était alors rigidifié autour de mon corps et deviendrait, sans que je m'en aperçoive, une prison où je m'étais mise en cage pour conserver vivant un amour mort depuis longtemps.

Et la Phantom blanche était revenue, emprisonnant un homme interdit qui préférait la regarder de loin plutôt que la sentir vivante dans ses bras, et qui se tenait invisible derrière ses vitres teintées, pour ne la regarder qu'au travers de ce cadre qui le retenait prisonnier. Et il la préférait ainsi, séparée de lui, circonscrite dans le cadre d'une vitre comme une actrice de cinéma sur un écran, sans plus de réalité qu'une image, aussi sage et inoffensive qu'une image, parce qu'une image ne peut pas vous regarder ; et lui restait confiné dans sa prison d'acier, dans ce que nous avions tous et que nous nommions « une vie ».

« J'aimerais que nous puissions parler de maintes prisons de la vie : prisons de pierre, prisons de la passion, prisons de l'intellect, prisons de la morale et le reste – toutes des limitations, extérieures ou intérieures, toutes des prisons, à vrai dire. Toute vie est limitation » (Wilde).

Alors elle s'était mise à sortir dans des tenues qui repousseraient toujours davantage les limites que la vie lui avaient imposées, insidieuses. D'habitude, les « excentriques » évoluent dans un monde protégé – l'aristocratie ou le milieu de la mode –, mais elle, elle tentait de s'afficher dans des tenues de plus en plus surréalistes dans la rue, en plein jour, pour accomplir des gestes quotidiens, se rendre dans les restaurants de son quartier, faire ses courses, acheter le journal. La norme, elle l'exploserait de l'intérieur – elle n'en pouvait plus d'une vie passée à faire semblant de se conformer. Alors elle sortait la tête couronnée de plumes de paon teintes en noir d'une hauteur de un mètre, un manteau en cygne blanc flottant sur le sol, des gants de tulle imprimés de motifs baroques qui s'entremêlaient le long de ses bras et sur lesquels reposaient des cercles d'or à gueules de panthères. Un soir, elle sortit le visage entièrement recouvert d'un masque de petites perles de culture dont la nacre se teintait parfois de vermeille ; le masque s'allongeait jusqu'au décolleté de sa robe de velours cramoisie qui sanglait son corps. La moire de la cape pourpre qui la recouvrait se dégradait pour devenir d'un noir profond constellé de sequins comme trempée dans la poussière des étoiles mortes. Des bijoux d'or et de jade sculptés ponctués d'émeraudes recouvraient ses mains comme une dentelle de métal sur laquelle poussaient d'étranges nénuphars. Elle sortait en combinaison de latex lui couvrant entièrement le corps, prolongé de talons tellement hauts qu'elle ne pouvait se déplacer, alors elle avait loué une chaise à porteurs pour atteindre le restaurant à cent mètres de son appartement. Ses gants s'ornaient d'ongles en métal d'un mètre de long, ses perruques scintillantes lui battaient les chevilles, ses cuissardes en pierres précieuses pesaient dix kilos chacune. Elle devint peu à peu un objet de curiosité, puis un objet de fascination, enfin, le sujet d'une répulsion collective. Ce qui l'étonna le plus, ce fut de constater comme tous se croyaient soudain tout autorisés : certains venaient lui parler, d'autres n'hésitaient pas à la toucher, comme si elle n'avait plus été qu'un objet, une statue, un être mort qu'on peut manipuler comme on le souhaite. Le plus souvent, on se permettait de la dévisager avec insistance, de la montrer du doigt comme si elle ne le voyait pas, de la photographier comme si elle n'était plus qu'un monstre de foire, un monument en ruines. Tous s'arrêtaient sur son passage, tellement interpellés par son apparence qu'ils se vengeaient en niant qu'à l'intérieur, il y avait quelqu'un.

C'est pendant l'une de ces nuits, alors que je rentre d'un dîner particulièrement éprouvant, parée de mes plumes et de mes longues capes, ces artifices de plus en plus extravagants auxquels je m'accroche comme si ma vie en dépendait, que le fantôme de la petite fille m'apparaît pour la première fois. J'erre, comme chaque nuit, dans un palais sans issues, quand soudain une porte s'ouvre et révèle un jardin infini, luxuriant, irradiant d'une lumière vert pâle, d'une douceur, une sérénité intenses. Pourtant, l'anxiété m'oppresse. Je me tiens avec prudence à l'entrée de ce paradis, dont toute entrave a disparu, hésitant à y pénétrer, quitter l'ombre pour la lumière, m'y baigner. J'entends, sur le côté, des éclats de rires : une jeune femme coiffe une petite fille. Elles sont heureuses ensemble, et je crois reconnaître ma mère, ma mère jouant avec moi. Je n'ai plus rien à craindre, me dis-je, malgré l'angoisse toujours présente, alors je m'avance. « Tu es en train de mourir... », murmure une voix d'enfant à l'extérieur de mon rêve. « N'entre pas, sauve-toi, je t'en prie, ne fais pas comme moi... » J'ouvre les yeux : dans l'obscurité, près de mon lit, se tient une forme mouvante, des pixels d'argent dans un rayon de lune, une petite fille poudrée qui me regarde fixement. Elle entrouvre les lèvres, elle veut me dire son secret, mais le rayon devient plus éclatant et sa forme se dissipe, laissant en suspens sa phrase inachevée : « Je suis morte car... »

« Car chacun tue ce qu'il aime. »

« Un jour viendrait où Douglas demanderait à Wilde ce qu'il entendait pas ce vers, et Wilde répondrait : "Vous, vous devriez le savoir." »
Richard Ellmann.

Le corps d'Oscar Wilde se couvrit de plaques rouges. C'est ainsi qu'il prit conscience qu'une maladie le rongeait. Il restait alité. Les plaques ne partaient pas, gangrenant chaque centimètre de sa peau, substituant à ses manteaux coupés dans le plus beau cachemire un linceul de blessures. Avant de s'installer à Paris, alors qu'il séjournait dans une villa à Naples, un domestique lui avait volé tous ses vêtements ; puis il y abandonna ses livres. Il vint à Paris démuni. Il s'exposait chaque jour à la terrasse du Café de Flore – personne ne le voyait plus, comme s'il était mort dans la geôle de Reading. Parfois on le reconnaissait, parfois on lui parlait, alors il mendiait de l'argent – mais le plus souvent on détournait les yeux ; ou alors on le traversait du regard comme s'il n'avait été qu'un rayon de lumière, cette présence fantomatique qui lui était apparue dans un rêve déjà ancien. Son corps se couvrit des stigmates des grands brûlés. Consumé par des mots qu'il n'avait pu exprimer (on l'opéra de la gorge), et par ces mots d'amour et de compassion qu'il espérait entendre mais qui n'arrivèrent jamais (il eut un polype à l'oreille). Dans *Le Portrait de Dorian Gray*, il avait fait dire à Lord Henry : « Nous recevons le châtiment de nos refus. Tout élan que nous tâchons d'étrangler fermente dans l'esprit et nous empoisonne. Laissons le corps pécher, qu'il se débarrasse ainsi de son péché, car l'action est une forme de purification (...) Le seul moyen de se délivrer d'une tentation est d'y succomber. Résistez-y, et votre âme se gangrène. »

Il s'éteint d'avoir été entravé, interdit, dans la misère en novembre 1900, à l'hôtel d'Alsace, un hôtel minable de la rue des Beaux-Arts à Paris.

Un siècle plus tard, Bret Easton Ellis arrive en retard à notre rendez-vous dans l'une des suites de l'Hôtel, l'hôtel de luxe de la rue des Beaux-Arts. Le décor, du faux ancien cocotte, a été entièrement conçu par le décorateur Jacques Garcia. Parmi les tentures en velours, les pompons et les poufs, Ellis, impeccable en costume Paul Smith et Ray-Ban aviator, fait la gueule. Il a un rhume et pas envie de faire l'interview. Il s'étend sur le lit de la suite et fait son travail en professionnel, mais de mauvaise grâce, en râlant entre chaque prise (on le filme). Au passage, il n'a pas salué son attachée de presse – plus tard, il paraît qu'il lui hurlera dessus. Il déteste cet hôtel où son éditeur parisien lui a réservé une suite croyant lui faire plaisir puisque c'est « l'hôtel d'Oscar Wilde ». Mais l'enfant gâté de la littérature américaine s'en fout. Tout ce qu'il veut, ce sont des murs blancs et un écran plat géant.

« Il porte un costume de lin Canali Milano, une chemise de coton Ike Behar, une cravate de soie Bill Blass et des Brooks Brothers à lacets et bouts ferrés. Moi je porte un costume de lin très fin, pantalon à pinces, une chemise de coton, une cravate de soie tachetée – Valentino Couture –, et des Allen-Edmonds en cuir perforé à bouts renforcés. Une fois au Harry's, nous avisons David Van Patten et Craig McDermott, à une table du devant. Van Patten porte un veston croisé de sport laine et soie, un pantalon laine et soie à pli creux et braguette boutonnée Mario Valentino, une chemise de coton Gitman Brothers, une cravate de soie à petits pois Bill Blass et une paire de Brooks Brothers en cuir. McDermott porte un costume de lin tissé avec pantalon à pinces, une chemise Basile, coton et soie, une cravate de soie Joseph Abboud et des mocassins en cuir d'autruche Susan Bennis Warren Edwards. »
Bret Easton Ellis, *American Psycho*.

Et pourtant, c'est lui qui avait prolongé la vie d'un Dorian Gray au XXe siècle en écrivant un roman maudit avant même sa parution. Knopf, sa maison d'édition américaine, avait refusé *American Psycho* – qui serait accepté in extremis chez Random House. En France, Christian Bourgois, son éditeur – qui avait publié son premier roman, *Moins que zéro* –, n'en avait pas voulu. Tous les autres éditeurs français, horrifiés par le texte, l'avaient refusé aussi, et il était finalement sorti chez Salvy, un petit éditeur confidentiel. Or il devint un classique instantané, peut-être parce qu'il coïncidait parfaitement avec l'époque, voire l'annonçait. Il disait un temps où le corps n'avait plus à osciller entre l'art ou le réel, mais entre les marques. Les listes de marques déroulées en litanie ne signaient plus seulement des vêtements mais les corps : et la tragédie du corps ainsi logo-isé, vidé de toute humanité, abaissé au rang de produit de consommation, tout aussi jetable, était que sa mort n'avait pas plus d'importance – l'être, ainsi réifié, n'était plus qu'un vêtement que Patrick Bateman éventrait pour voir si, à l'intérieur, il y avait encore quelqu'un.

« Quelle est la silhouette marquante que vous aurez créée chez Chanel ?

— C'est peut-être l'esprit qui est marquant plutôt qu'une silhouette. Vous savez, si vous créez une silhouette frappante, c'est très dangereux. Même ce vieux Dior, à part le New Look, qu'a-t-il fait ? Balenciaga, c'était un peu bulle, et puis voilà. Courrèges, c'est une silhouette, mais il a pataugé et tourné en rond. Cardin, c'est pareil, c'était une idée bornée de la modernité qui s'est ringardisée quand on a vu comme le monde a évolué – il voyait du blanc partout et vous voyez la merde que c'est aujourd'hui, les talibans ne sont pas vraiment habillés en blanc, non ? Ce genre d'idées était amusant, mais au fond infantile. La mode, c'est l'esprit qu'on doit donner aux choses en le faisant évoluer. » (Interview de Karl Lagerfeld)

Et il avait longtemps régné sur notre époque sans contours. Coco Chanel avait créé des tailleurs fluides, une façon pour les femmes de se tenir, les mains dans les poches, le sac en bandoulière, l'allure libre. Pas lui. Lui, il avait inventé un esprit, créé une atmosphère – il avait génialement su ce que deviendrait la mode, et il n'avait rien inventé sinon son temps en entrant chez Chanel en 1983 : la mode se résumerait à la création d'une image de marque à laquelle les femmes voudraient appartenir, achetant rouges à lèvres, sacs et parfums pour se donner l'illusion d'en être. « J'aime l'éphémère : la mode est mon métier » ; « La mode est une attitude plus qu'un détail du vêtement », disait Lagerfeld. Pendant qu'il se refusait à faire de l'art, il avait réinventé la mode en même temps qu'il réinventait son corps, comme un signe : « Je suis comme une caricature de moi-même, c'est comme un masque. » Noir et blanc, un corps carapace, les cheveux rigidifiés par le shampoing sec dont il se sert pour les blanchir, le regard barré par des verres noirs, le cou tenu par un col amidonné, le corps caparaçonné. Une statue. Un costume qui se déplace seul. Un sigle reconnaissable à trois traits, dans le monde entier : Karl Lagerfeld. Il ne marquerait peut-être pas la mode d'une invention particulière mais d'un corps-logo signifiant la mode à lui tout seul.

« C'était le diable fait homme avec une tête de Garbo ! » disait Karl Lagerfeld de Jacques de Bascher. Et il avait souffert quand ce dernier avait eu une aventure avec Yves Saint Laurent. Quand de Bascher meurt du sida en 1989, Lagerfeld se mure dans un corps-prison, un corps qui s'ensevelit vivant dans sa propre chair. Il s'affiche seul, et répétera dès lors préférer la solitude – qu'il a besoin d'échapper au regard des autres pour se régénérer. Il ne maigrit que pour pouvoir rentrer dans les costumes fuselés d'Hedi Slimane pour Dior Homme, et transfère son corps d'un carcan à l'autre.

Quand son ami l'acteur Henry Irving meurt en 1905, Bram Stoker tombe malade et reste alité pendant des années, il s'affaiblit, ne peut plus se déplacer, ne pourra plus s'en relever, restant prisonnier de sa chambre jusqu'à sa mort en 1912. Il souffre, étrangement, des symptômes des victimes de Dracula : extrême faiblesse, pâleur, anémie. Le chagrin d'amour est une force vampirique qui vous dévore de l'intérieur. Jeune homme, il avait eu le coup de foudre en découvrant Irving au théâtre, il l'a rejoint plus tard à Londres pour travailler à ses côtés au Lyceum Theatre dont Irving a la responsabilité. Il épouse Florence Balcombe, rencontrée chez les Wilde, alors que personne ne lui connaît de relations féminines, juste avant de rejoindre à Londres, en décembre 1878, l'homme qu'il a peut-être aimé par-dessus tout, en oubliant même d'emmener sa jeune épouse en voyage de noces, comme si elle n'avait eu pour seul enjeu que de camoufler son homosexualité - vécue ou latente –, que le futur auteur de *Dracula* n'assumera jamais au grand jour. Quelques années seulement auparavant, il écrivait une lettre au poète américain homosexuel, Walt Whitman : « Comme il est doux pour un homme solide et en bonne santé avec des yeux de femme et des désirs d'enfant de savoir qu'il peut parler de cette façon à un homme qui peut être, s'il le veut, père, frère et épouse de son âme... je vous remercie pour tout l'amour et toute la compassion que vous m'avez donnés, ainsi qu'à ceux de mon espèce... »

Bram Stoker, Oscar Wilde : les deux faces d'une même pièce, liés par une attirance commune pour une même femme, ou une attirance l'un pour l'autre, ou encore une attirance pour le même sexe, consommée par femme interposée ? Pendant que l'un se cachait, en souffrait, l'autre assumera ses amours, en défiera la société et en paiera le prix. Mais tous deux connaîtront la même issue : l'un et l'autre meurent de ne pas avoir eu le droit d'aimer en pleine lumière.

Garbo avait vu les deux hommes qu'elle avait aimés se brûler à la lumière des studios, se faire broyer par le système hollywoodien puis en être recrachés plus loin, morts. D'abord il y eut Mauritz Stiller, que Louis B. Mayer avait engagé à la MGM pour convaincre Garbo de quitter la Suède pour Hollywood : sur place, il avait pris le réalisateur en grippe à cause de son influence sur la jeune star, ne lui avait jamais confié de mise en scène, le détruisant lentement à force de le condamner à ne rien faire. Licencié par la MGM en 1928, Stiller était mort la même année de retour à Stockholm. Mayer ne pardonna jamais à John Gilbert d'avoir conseillé Garbo contre son studio lors de leur idylle, de l'avoir encouragée à exiger un salaire plus important, et à faire grève si elle ne l'obtenait pas. Peu à peu, Mayer ne le fit tourner que dans des navets, ce qui détruisit sa carrière. Garbo tenta de secourir son ancien amant en l'imposant comme partenaire sur *La Reine Christine*, mais le mal était fait : Gilbert buvait de plus en plus. Et la MGM était connue pour anéantir ses stars dès qu'elles devenaient trop puissantes et trop exigeantes. Il mourut d'une crise cardiaque en 1936, à trente-huit ans. Alors, après l'échec de *La Femme aux deux visages*, quand elle sentit que la MGM ne croyait plus en elle et hésitait à la faire tourner, Garbo prit elle-même les devants : « Elle décida de se libérer et de libérer la MGM de tous ces tracas » (Barry Paris). Parce que le studio, qu'elle travaille ou non, était obligé de la payer, elle mit elle-même un terme à son contrat. Et elle s'éclipsa.

Et ses robes sortirent l'une après l'autre : elles tournoyaient très lentement dans les airs, flottaient comme des présences fantomatiques, reconstituant des corps qui avaient jadis existé et reprenaient doucement vie, l'une après l'autre, s'échappant de leur petite prison où elles en avaient assez de dormir, d'attendre éternellement qu'on revienne les aimer, et elles se tenaient debout comme par enchantement ; de l'une, en chiffon blanc, s'échappait une longue écharpe de gaze comme un ectoplasme qui s'allongeait jusqu'au plafond et caressait l'air comme la peau d'un amant ; les robes s'étaient, l'une après l'autre, approchées d'elle jusqu'à l'entourer, mousseline crépusculaire faisant danser ses longues manches de voile comme les tentacules d'une fleur marine, robe corset tel un corps dont les bras et les jambes auraient été sectionnés, capes noires flottant derrière des corps de crêpe, agitées par une brise qu'elle ne sentait pourtant pas, guipure sombre à travers laquelle elle pouvait distinguer l'absence de chair, soie diaphane dont les broderies rappelaient les fleurs violettes sur la peau des cadavres aux premiers jours de la mort. Et elles continuaient à s'échapper, robes mauves et robes encre et robes poussières d'étoiles, et robes arachnéennes, et robes rose thé. Les portes de son dressing étaient maintenant grandes ouvertes et le défilé continuait, aussi lent que hiératique, de ses robes qui sortaient de leur tombeau pour s'assembler autour d'elle comme si elles avaient souhaité la voir une dernière fois ; parfois l'une s'approchait d'elle plus que les autres, comme un animal qui observe un intrus, mesure le danger qu'il encourt à le laisser en vie, à ne pas le dévorer. Et elle se tenait au milieu de ses robes sans corps qui l'avaient maintenant encerclée, et bizarrement, elle ne craignait plus rien.

« On n'a jamais pu expliquer comment ils quittaient leurs tombes et y retournaient à certaines heures de la journée, sans déplacer la terre ou laisser de trace sur le cercueil ou leur suaire. La vie amphibie du vampire lui impose quelques heures quotidiennes de sommeil dans sa sépulture. C'est sa soif horrible de sang frais qui lui donne la vigueur de sa vie éveillée. Il arrive que le vampire éprouve pour certaines personnes une fascination violente qui l'absorbe entièrement et qui ressemble à la passion », écrit Sheridan Le Fanu dans *Carmilla*. Serais-je désormais condamnée à n'éprouver que des simulacres de sentiments ? Je reconnaissais certaines de ces liaisons que j'avais prises pour de l'amour, certains de ces êtres qui avaient dit m'aimer : « Afin d'approcher la victime désirée, il use d'infinie patience et de mille stratagèmes pour lever tous les obstacles qu'il trouve sur son chemin. Il n'abandonne jamais avant d'avoir assouvi sa passion et épuisé l'objet de sa convoitise jusqu'à la mort. Dans ces cas-là, il prolonge et fait durer son plaisir funeste avec un raffinement d'épicurien, l'augmentant à chaque étape de la cour assidue et adroitement menée qu'il fait à ses victimes, dont il semble rechercher la sympathie et le consentement. Dans les cas ordinaires, il s'approche directement de l'objet de ses appétits et le laisse exsangue en un unique festin. »

Le Vampire de Byron et Polidori sera d'abord publié en 1817 dans la revue *The New Monthly Magazine* ; *Carmilla* de Sheridan Le Fanu en 1872 ; *Le Capitaine Vampire* de Marie Nizet en 1879 ; et Bram Stoker les vampirisera pour écrire *Dracula* dès 1890. Lors de sa sortie en 1897, *Dracula* les surpassera tous, devenant au fil du temps le prototype de toutes les futures histoires de vampires. Puis son auteur mourra des mêmes maux dont souffrent les victimes du vampire, vampirisé à son tour par *Dracula* – par ce livre dans lequel il avait encagé toute sa souffrance et qui deviendra immortel, faisant ainsi de son corps de mots un sarcophage qui voguera éternellement sur le fleuve du temps préservant intact son amour interdit.

Et puis un jour, elle aussi, elle disparut des miroirs.

Son ombre se mit à la fuir. C'était ce qui avait commencé à surgir dans son corps se métamorphosant, cette capacité à vampiriser – à se nourrir de la substance des autres, à revêtir leurs peaux comme un millier de masques qui témoigneraient d'une facette d'elle-même tout en dissimulant les autres. Elle muterait jusqu'au vertige dans un tourbillon d'apparences, son existence ne serait plus qu'un feu d'*artifices*, qui s'offriraient comme une multitude d'éclats d'elle-même avant de partir en fumée. Elle prendrait les masques de tous ces êtres, de tous ces personnages qui, un jour, avaient violemment percuté un mur de verre, interrompant leur course folle, les remettant cruellement à leur place, cette place qu'ils avaient cru pouvoir oublier. Garbo et le cinéma, Lizabeth Scott et son homosexualité supposée, Capote et la mort de son double, et tous ces autres qui s'étaient heurtés à un événement de leur vie qui les avait, en un instant, désincarnés. Un homme aimé qui, le temps d'un été, l'avait préférée morte, et tout s'était interrompu : elle avait senti son corps s'effriter comme celui d'une poupée de sable, se désagréger peu à peu, ne laissant d'elle qu'un cœur battant dans un manteau vide. Son corps, pour survivre, s'était lentement modifié. Elle s'était condamnée à faire de sa vie une cage de mots pour mieux embaumer son amour mort.

Un être vampirisé par son amour, qui le vampirise à son tour, et qui fait de sa vie une œuvre, mais une œuvre qui vampirise sa vie en retour. Le tournage d'*Apocalypse Now* fut un enfer pour Francis Ford Coppola. Prévu sur une durée de un an, il lui prend trois ans de sa vie, le plonge dans la dépression, l'éloignant de ses proches, menant son mariage à sa perte. Pour se défendre, s'en protéger, Eleanor Coppola n'a qu'un recours : elle écrit. Le journal qu'elle tient durant le tournage témoigne d'un séisme : celui d'une femme qui voit l'homme qu'elle aime se vider de sa substance au profit de son œuvre, et tomber amoureux d'une autre femme. Elle constate que sa vie est devenue celle d'une femme au foyer dévouée, sacrifiée sur l'autel de l'œuvre de son mari, vampirisée par la carrière de l'homme qu'elle aime. Comme tout vampire, « Francis est un maître de l'illusion. Il est l'un des professionnels les plus doués du monde dans ce domaine. Il ne cesse d'entretenir l'illusion très convaincante de vouloir un mariage et une vie familiale sans composante triangulaire. Puis, le temps passe et il devient évident que tout cela n'est qu'illusion. Je me demande si j'arriverai un jour à démasquer l'illusion au moment même où il la crée ».

Blanche-Neige tombe dans un long sommeil après avoir goûté la pomme empoisonnée que lui offre la sorcière. La Belle au bois dormant sombre dans un profond sommeil après s'être piqué le doigt à un fuseau, accomplissant ainsi le sort que lui a jeté une mauvaise fée à sa naissance – son sommeil durera cent ans, et ne prendra fin qu'avec le baiser du prince. A plusieurs reprises, les contes de fées ont mis en scène des sommeils maléfiques : le corps tombe dans la mort mais le cœur continue à battre. Seul le retour de l'homme aimé a le pouvoir de les sauver. Dans le royaume du conte, le prince revient toujours. Il revient pour les réveiller de la mort parce que leur mort n'est qu'une illusion. Mais était-ce vrai ? Le retour du prince, et son baiser, n'advenaient-ils pas seulement dans le rêve des endormies ? N'étaient-elles pas simplement en train de rêver, puisant en elle, inventant en elle, l'illusion magique qui allait les délivrer d'une illusion mortifère ? Une illusion à opposer à une autre illusion pour se sauver de la mort.

« J'avais une façon littérale de croire au monde. J'ai choisi de ne voir que le rationnel et de nier l'illusion. » Eleanor Coppola.

Il prend ma main, la retourne et y dépose un baiser tendre. Nous occupons, cette nuit-là, une toute petite chambre du Cadogan, la 826, et je lui fais remarquer qu'il y a toujours un six dans nos chambres, et nous nous regardons mystérieusement – l'amour rend bête, l'amour rend superstitieux et obsessionnel et bête. Nous nous étions retrouvés pour la première fois le 11 novembre 2011 : le 11-11-11. Un portail temporel qui, paraît-il, ouvre sur l'éternité. Mais l'addition fait 6 : un rendez-vous manqué le 6 juillet, une rupture le 6 août, un simulacre d'explication le 6 octobre. La nuit du 6 mai, nous occupons la 826, séparée du reste de l'hôtel par un long couloir privé. Loin de l'agitation de la ville, de l'hôtel, seuls au monde. Il m'embrasse tendrement dans le cou : « J'aime vous embrasser là, parce que je sais que vous aimez être embrassée là où la peau est la plus fine. » Comment le sait-il ? Il n'en sait, en fait, rien. Il est en train d'inventer. Tout est faux, et pourtant, cette nuit-là, tout était **vrai**. Pourquoi ne m'étais-je pas contentée d'y croire ?

« Il faut, pour être heureux, s'être défait des préjugés, être vertueux, se bien porter, avoir des goûts et des passions, être susceptible d'illusions, car nous devons la plupart de nos plaisirs à l'illusion... »
Madame du Châtelet, *Discours sur le bonheur*.

Elles étaient devant moi, les ballerines à paillettes rouges de Dorothy dans *Le Magicien d'Oz*. Petits rubis étincelants dans l'obscurité de cette salle du Victoria & Albert Museum, à Londres, qui consacrait une exposition aux costumes hollywoodiens. Les souliers de Dorothy, qu'elle avait prélevés sur la dépouille de la gentille sorcière de l'Est, l'avaient sauvée du sort jeté contre elle par la méchante sorcière de l'Ouest : une magie bénéfique pouvait contrer le pire des sortilèges, et dans les contes, les sortilèges lancés contre vous ne vous tuent pas complètement, ils vous métamorphosent en une autre chose que vous-mêmes, une chose morte avec, comble de la cruauté, sa conscience intacte à l'intérieur. Depuis quand avais-je cessé de croire à la magie ? Depuis quand prenais-je l'illusion du sommeil éternel pour la réalité ? Pourquoi avais-je cessé de croire que des souliers pailletés ont le pouvoir de nous transporter hors de la mort, qu'une pantoufle de verre peut mener à l'amour, un miroir nous donner à voir les êtres que nous aimons, une bête se métamorphoser en prince ? Que valait-il mieux, finalement : l'illusion, qui seule avait le pouvoir de réenchanter une vie, provoquer le désir, cette joie de chaque instant qui nous transporte dans un royaume qui n'existe que dans une parenthèse enchantée de notre esprit, ou la réalité la plus brutale ? Que fallait-il choisir de regarder dans les yeux ?

« Je lis *The Patchwork Girl*, l'un des livres de la série du *Magicien d'Oz*, à Sofia. Scraps, la poupée, et ses compagnons sont en chemin vers la Cité d'Emeraude. Ils arrivent devant un mur infranchissable dont le portail est fermé avec une serrure gigantesque. Avec tristesse ils se disent qu'ils ne pourront pas aller plus loin. Puis un homme débraillé leur dit de fermer les yeux et de faire cent pas en avant. Ce qu'ils font et, lorsqu'ils ouvrent à nouveau les yeux, ils s'aperçoivent que le portail est loin derrière eux. Lorsque, éberlués, ils demandent comment c'est possible, l'homme débraillé répond : "Ce mur est ce qui s'appelle 'une illusion d'optique'. Il est tout à fait réel lorsque vous avez les yeux ouverts, mais si vous ne le regardez pas, il n'existe absolument pas." »
Eleanor Coppola.

Mais étaient-ce seulement les vrais ? Les souliers rouges que j'avais sous les yeux n'étaient peut-être pas ceux qui apparaissaient dans *Le Magicien d'Oz*. Quand, treize ans après avoir enveloppé Garbo dans la peau du mythe dont elle ne parviendrait jamais à se défaire, Adrian crée les souliers rouges de Judy Garland, il en fait fabriquer quatre paires, au cas où l'une ou l'autre serait abîmée. Une paire a été volée, l'autre vandalisée par le chien de Dorothy, Toto. Restent deux paires. L'une disparaît et l'autre se vend aux enchères de la MGM en 1970 pour des milliers de dollars – aujourd'hui, elle vaut des millions. Ces souliers deviendront l'un des accessoires les plus iconiques de l'histoire du cinéma – métaphore du cinéma lui-même. Une fille de ferme du Kansas, qui vit dans un monde en noir et blanc (car frappé par la crise), rêve du monde d'Oz, un pays en Technicolor où tout est *larger than life*. Dans le roman de L. Frank Baum, paru en 1900, les souliers magiques de la jeune fille n'étaient pas rouges mais argentés. Craignant que cela soit trop fade, Adrian décida de les faire réaliser à paillettes rouges – artefact cinématographique d'un conte qui fait l'apologie de l'artefact, ou de l'objet-illusion. Le magicien d'Oz ne possédait pas de réels pouvoirs magiques : il ne pouvait donc pas réaliser les vœux impossibles des protagonistes du conte – donner un cerveau à l'Epouvantail, un cœur à l'Homme de fer-blanc, du courage au Lion peureux. « Mais il fit semblant, écrit l'historien Christopher Frayling, il donne un diplôme à l'Epouvantail, une horloge en forme de cœur à l'Homme de fer-blanc, et au Lion peureux une médaille, faisant ainsi en sorte que les aides de la ferme d'oncle Henry se sentent mieux dans leur peau (…). Le magicien ne pouvant leur donner la chose réelle, alors à la place il restaure, grâce à une illusion, leur confiance en eux. » Les souliers rouges restauraient, à travers l'illusion du cinéma, une confiance perdue en soi et en l'existence chez des millions de spectateurs : un objet nous rendait plus fort parce qu'il nous faisait croire que tout deviendrait, pour nous, soudain possible. A condition d'y croire *pour de vrai*. L'essentiel serait alors d'y croire pour toujours.

C'est pourquoi j'aimais la mode. Chaque saison, elle nous fournissait des coffres entiers d'illusions : ces petits objets magiques qui avaient le pouvoir de réenchanter le monde en restaurant notre confiance en nous. J'aimais les petits tableaux vivants que la mode nous offrait via les défilés ou les magazines. Chaque robe contenait une multitude de narrations possibles, chaque soulier un amour, chaque bijou un arbre de Noël scintillant autour duquel souriait une famille idéalement unie, aimante. Et chaque vêtement réinjectait un peu de beauté dans nos vies quotidiennes, nous permettant de recomposer une scène où nous épanouir, un lieu imaginaire où jouer. Et puis j'aimais l'éphémère de la mode, et j'aimais son changement. J'aimais le mouvement du temps qui balaie une forme pour la remplacer par une autre. J'aimais la possibilité que nous offrent les collections de nous réinventer tel un phénix au rythme des saisons, de nous projeter à travers de nouvelles enveloppes dans de nouvelles fictions, de renaître, en somme, perpétuellement.

En achetant un tailleur rose, Greta Garbo s'était-elle sentie plus gaie, plus légère, d'un humour frivole qui la ravissait, lui faisait oublier les grandes et petites déceptions qu'elle avait affrontées toute sa vie ? Une toque en fourrure sombre, et elle se projetait en princesse russe, réminiscence d'une Anna Karénine qu'elle avait incarnée deux fois à l'écran. Une robe de soie noire, signée Christian Dior, deux tailleurs Givenchy, l'un noir, l'autre gris, et elle se faisait l'effet d'une petite Parisienne courant à un rendez-vous galant dans un appartement chic avec vue sur la tour Eiffel, telle Ninotchka trouvant l'amour dans les bras de Melvyn Douglas. Un pantalon, des souliers plats, une chemise et un manteau d'homme jeté sur les épaules, et plus rien, jamais, ne pourrait l'arrêter : elle reprenait enfin possession de son être véritable, loin de « Garbo », ce simulacre de femme, loin de Hollywood, ce simulacre de vie. Elle redevenait enfin ce grand garçon dégingandé qui flirtait aussi bien avec les femmes qu'avec les hommes, qui allumait les cœurs tout en les brisant, et emmerdait royalement Louis B. Mayer et sa foutue prison qu'il appelait « MGM ». Elle retombait en adolescence, quand la petite Suédoise, avec une amie comme elle apprentie comédienne, se déguisait avec les vêtements de son frère Sven, et se faisait passer pour un garçon dans les rues de Stockholm – quand, pour s'évader de la pauvreté, elle s'inventait des rôles, déclarant, dès l'âge de cinq ans, qu'elle voulait être actrice, et utilisait la boîte d'aquarelles que son père lui avait offerte pour se maquiller. Son premier rôle dans la vie, dès son plus jeune âge : actrice. Et en quittant le cinéma, ce n'est peut-être finalement qu'à cela qu'elle avait renoncé, juste un rôle de plus. Un chapeau pointu la délivrait de sa cage dorée en la transformant en petit clown le temps d'une soirée, où elle retrouvait son innocence enfantine. Un ensemble Emilio Pucci et c'est elle seule qui régnait sur le yacht d'Onassis, parmi les riches et puissants, elle dont les grands-parents furent paysans, elle dont la famille avait mangé à la soupe populaire. Tous ses manteaux Alaïa lui prouvaient que la jeune fille forcée de travailler à quatorze ans était devenue l'égale des aristocrates qu'elle fréquentait. La somptueuse boîte à cigarettes en bakélite que lui avait offerte le baron de Rothschild lui faisait croire qu'elle en était – qu'elle en serait toujours, et qu'ainsi, désormais en sécurité, elle ne connaîtrait jamais le même sort que son père, quand elle l'avait emmené, brûlant de fièvre, à l'hôpital, où on les avait fait attendre de longues heures pour accéder aux soins gratuits, alors qu'il était en train de mourir à ses côtés. Un sentiment d'impuissance, d'humiliation et de haine qu'elle n'oublierait jamais : « Greta, qui dut conduire son père à plusieurs reprises à cet hôpital, se jura que rien de semblable ne lui arriverait jamais » (Barry Paris). Un poudrier en or Verdura, et elle était cette femme d'un chic inouï, d'une élégance insolente, qui les avait toutes surpassées et les surpasserait toujours au royaume du glamour, les Gloria Swanson, Ava Gardner, Katharine Hepburn ou Elizabeth Taylor. Et toutes les robes, tous les manteaux que lui avaient créés Valentina lui faisaient croire qu'elle vivait, enfin, dans la peau de la femme aimée. Elle n'avait jamais supporté le réel – enfant, elle se cachait sous la table de la cuisine pour se raconter des histoires, plus tard, elle fuguerait trois fois loin du domicile familial, comme elle s'échappait à travers les rôles qu'elle s'inventait et les vêtements dont elle se parait pour dépasser les limites de sa réalité et devenir une autre. Toute sa vie, chaque tenue aura incarné pour elle une utopie romanesque, même fugitive, portant le pouvoir illusoire de la sortir de sa peau réelle, de son cadre réel, toujours trop limité à son goût, pour lui ouvrir une multitude de possibles. Et vingt-deux ans après sa mort, j'avais acheté son manteau pour toutes ces raisons à la fois.

Plus tard, tout au long de la vie déchiquetée de Judy Garland, les ballerines à paillettes rouges deviendraient le symbole de l'innocence saccagée par les accidents de la vie, les murs qu'on se prend de plein fouet. Elle a treize ans quand elle perd son père et ne s'en remettra jamais. Elle a dix-sept ans quand elle tourne *Le Magicien d'Oz*. Elle devient toxicomane, puis alcoolique. A Hollywood, sa mère l'oblige à prendre des médicaments pour maigrir, les producteurs des amphétamines pour supporter les longues heures de travail, et le soir, elle prend des somnifères pour pouvoir dormir. Elle devient nerveuse, irritable, enchaîne les retards sur les plateaux, sombre dans la dépression, l'alcool, les séjours à l'hôpital, enfin, la MGM met fin à son contrat. Elle meurt à quarante-sept ans d'une overdose.

Les petites filles adorent le rose. A six ans, dès mon retour de l'école, j'exigeais de revêtir la jolie robe de mousseline rose qu'on m'avait achetée pour un mariage, et je me pavanais dans tout l'appartement parce qu'elle était synonyme de bonheur. Pour tout enfant déjà, le réel lui-même n'est qu'une illusion, mais une illusion qui peut s'avérer insupportable, menaçante, ou simplement ennuyeuse, s'il ne joue pas à recréer une autre illusion qui lui permette, le temps d'un instant, de le masquer. Une petite fille enfile sa robe rose, se dit qu'elle est une princesse, et soudain, elle y croit. Tout autour d'elle disparaît ou plutôt se transfigure : sa chambre dans un HLM gris de banlieue devient un palais argenté. Il faudrait refaire le chemin inverse. Défaire cette illusion que nous prenions pour la réalité, nous réinjecter de la magie, au risque de l'aveuglement.

Alors tout se mit à briller : tout ce qu'il voyait, il ne le voyait plus que recouvert de paillettes argentées ; la moindre chemise, il ne la voyait plus telle qu'elle était, mais étincelante, rayonnante comme un ange tombé du ciel, entièrement recouverte de strass. Le miracle s'était produit quand il avait échappé à la mort. Né à Kiev le 15 décembre 1902, Nuta Kotlyarenko avait onze ans quand ses parents l'avaient envoyé en Amérique avec son frère Julius pour échapper aux pogroms de la Russie tsariste. A la frontière, les douaniers avaient confondu « Nuta » avec « Nudie » et avait imprimé ce prénom sur ses papiers. Il lui avait fallu traverser les mers pour renaître, et une frontière pour être rebaptisé, et il décida de garder son nouveau prénom pour s'intégrer à sa terre d'adoption. C'est alors que le miracle se produisit : il vit sa vie devant lui, et le monde tout autour, à travers l'aile irisée d'une illusion. Gamin perdu dans les rues de l'Amérique, Nudie devint cireur de chaussures, et s'employa à faire briller tous les souliers des messieurs qui voulaient bien lui donner quelques cents : il y mettait toute son ardeur, toute sa jeune force pour les rendre aussi brillants que l'argent le plus pur. Plus tard, au début des années quarante, il s'installa avec sa femme en Californie et rhabilla les cow-boys puis, peu à peu, les stars de la country, enfin, les stars tout court. C'est ce Juif d'Ukraine qui avait échappé aux pogroms qui inventa le look *camp* des cow-boys et des stars du rock, qui eut l'idée d'hybrider Nashville avec Hollywood et de recouvrir les costumes des chanteurs de country de strass et de sequins argentés. Le costume lamé or d'Elvis Presley en 1957, c'est Nudie Cohn qui l'imagina, inaugurant ce qui allait devenir le look ostentatoire du King, et, à travers lui, l'ère de la pop star théâtralisée telle qu'on la connaît aujourd'hui, engendrant des David Bowie, Michael Jackson et autres Madonna. Il customisait aussi ses voitures, ses Cadillac Eldorado et ses Pontiac Bonneville dont il recouvrait l'intérieur de pièces de dollars, et il s'habillait chaque jour de ses créations rutilantes. Pourtant, même quand il fit fortune, il mit un point d'honneur à ne porter que des bottes dépareillées : il s'accrochait à un souvenir, celui des chaussures dépareillées que le petit émigré était obligé de porter, trouvant une botte dans une poubelle, l'autre dans le caniveau. Et malgré cet océan de paillettes qu'était devenue sa vie, il n'oublia non seulement jamais, mais tint à ne pas oublier d'où il venait, peut-être pour jouir encore davantage, par contraste, de l'illusion qu'il était parvenu à créer. Il habilla d'abord Tex Williams, star de la country, puis très vite Robert Mitchum, Ronald Reagan, John Wayne, John Lennon, Keith Richards, Cher, Robert Redford dans le film *Electric Horseman* (1979), Elton John, Glen Campbell, Larry Hagman et l'équipe de *Dallas*, et tant d'autres. Les stars passaient des heures à siroter du whisky avec lui dans le bar qu'il avait installé à l'arrière de sa boutique, Nudie's Rodeo Tailors, un véritable empire au 5015 Lankershim Boulevard, North Hollywood, qui fermera en 1994 dix ans après sa mort. Mais lui seul se rendait dans une petite pièce secrète pour y faire la sieste, entouré de photos d'actrices nues : Marilyn Monroe, Jayne Mansfield, et

Lili St. Cyr qui lui avait dédicacé cette photo d'elle dans un bain moussant : « Pour Nudie : si un jour je porte des vêtements ce seront les tiens. » Il avait bien connu cette reine du burlesque quand il la fournissait en lingerie à strass et paillettes pour ses numéros de strip-tease. La première boutique que Nudie avait ouverte à New York dans les années trente, Nudie's for the Ladies, vendait de la lingerie et des accessoires pour showgirls – et plus tard, il n'avait fait que transposer l'esthétique de ces showgirls aux cow-boys, dynamitant de l'intérieur les codes machistes du Far West. Pendant longtemps, c'est chez Nudie que les reines du burlesque achetaient leurs strings à paillettes.

Le string a été inventé pour les strip-teaseuses. Elles étaient ainsi nues et jamais nues : elles créaient de l'illusion, celle de la nudité et de l'exposition intégrale de leur corps alors qu'elles ne l'étaient jamais vraiment. Zorita, une des reines du burlesque américain dans les années cinquante, célèbre pour se produire avec des serpents, faisait coudre sur le devant de ses strings de la fourrure de renard qu'elle teignait de la même couleur que sa chevelure pour faire croire qu'il s'agissait de ses poils pubiens. Et puis elle faisait semblant de se faire mordre par l'un de ses serpents et de sombrer dans un profond sommeil, et quand le rideau tombait sur la fin tragique et sexuelle de son numéro, elle se relevait et filait en coulisses boire une coupe de champagne et draguer les filles. Les hommes, ravis, l'adoraient. Son corps, ses poils pubiens, la morsure du serpent parfaite métaphore (parfaite illusion) de la pénétration, les excitaient.

Ils y croyaient. Ils savaient pourtant que c'était faux, qu'elle n'était pas vraiment morte, qu'elle ne mourait pas, chaque soir, pour *de vrai*, puisque chaque soir après la représentation ils lui envoyaient billets doux, fleurs, diamants, invitations à dîner et demandes en mariage. Chez toutes les reines du burlesque, de Gypsy Rose Lee à Lili St. Cyr, les pointes des seins ne s'exposaient pas non plus mais étaient recouvertes de pastilles du même ton, rose pâle. Même dans le théâtre de la nudité, de l'exhibition, le corps se travestissait : elles le recouvraient parfois d'un léotard de fin tulle rose. Et aujourd'hui, dans un temps où la pornographie a remplacé l'érotisme, les corps s'affichent nus mais pas pour autant réels : faux seins et faux bronzage maintiennent l'illusion.

« Pour une reine du burlesque, la seule chose qui contribuait vraiment à faire son succès, c'était d'avoir une garde-robe élaborée », écrit Liz Goldwyn dans *Pretty Things*. Elles faisaient appel à de vrais couturiers (dont l'un des plus grands, Charles James) pour concevoir des robes de satin et des capes assorties, des corsets et des justaucorps constellés de strass, bordés de plumes d'autruche. Elles créaient du rêve, un mirage de sexe heureux, d'émerveillement, des images qui réintroduisaient un peu de magie dans la tête d'hommes qui ne parvenaient plus, ou moins, ou moins bien, à jouer — parce que même la sexualité n'a rien à voir avec la réalité. Et les films hollywoodiens finirent par habiller leurs stars — Jane Russell, Marilyn Monroe, Barbara Stanwyck — comme s'habillaient les dernières reines du burlesque pour se déshabiller sans jamais se mettre à nu. Zorita, Gypsy Rose Lee, Lili St. Cyr,

Joan Torino, Betty Rowland. Elles portaient toutes des sandales argentées.

Un été à Rome, elle s'était acheté une paire de sandales argentées. Et puis elle ne les avait plus jamais portées. Depuis quand des souliers pailletés n'avaient plus le pouvoir de la faire rêver ? Depuis quand avait-elle perdu la magie ? Dans *Bell, Book and Candle* (1958) de Richard Quine, Kim Novak interprète une sorcière à Manhattan. Elle a tous les pouvoirs grâce à son chat siamois Pyewacket, vit dans le même immeuble que sa famille, des sorciers aussi, et s'habille de robes d'une élégance intimidante, noires, rouge sombre, vert émeraude profond. Elle décide d'envoûter son voisin, James Stewart, le soir où elle découvre qu'il s'apprête à épouser une ancienne ennemie. *Bell, Book and Candle* raconte l'histoire d'une illusion qui devient vraie parce que chacun des protagonistes va se mettre à y croire. Sauf qu'une sorcière ne conserve ses pouvoirs magiques qu'à la condition de ne jamais tomber amoureuse. Si elle s'éprend, elle s'humanise, alors ses pouvoirs disparaissent : son chat magique la fuit et elle peut, enfin, et comble de l'horreur, pleurer comme une vulgaire mortelle. Quand il apprend que Novak est une sorcière et qu'elle l'a envoûté, James Stewart la quitte et ne veut plus jamais la revoir. Alors on la voit courir pieds nus, dans la neige, à la recherche de son chat qui a disparu. Sa garde-robe s'est soudain simplifiée, normalisée : un petit pull de couleur, un petit pantalon. Elle rentre chez elle, se jette devant un miroir et elle comprend enfin : elle est en train de pleurer. Elle aime, mais trop tard – elle n'a plus la magie pour le faire revenir. Depuis quand avait-elle perdu sa magie, son pouvoir de faire apparaître et disparaître ? Elle avait été cette enfant qui ne commandait qu'un seul cadeau au Père Noël : une petite boîte de poudre magique. Pourquoi perdre son temps à commander nombre de jouets alors qu'il suffisait d'un seul pour les avoir tous. Ses amies se moquaient d'elle, la jugeant trop rêveuse ; elle leur en voulait d'avoir des vœux tellement limités, tellement prosaïques. Elle, elle croyait fermement en l'existence de la poudre magique qui permettrait d'avoir tous les jouets et plus encore : une robe de princesse en velours rose constellée de diamants qu'elle porterait pour se rendre à l'école dans un carrosse tapissé du même velours. Et puis elle n'était plus jamais sortie de ce carrosse. Il l'avait protégée dans sa course folle à travers les années. Jusqu'au jour où elle s'était brutalement éveillée du long songe qu'avait été sa vie. Alors elle avait fait de son corps un sarcophage paré de vêtements d'or pour y conserver un amour impossible – et pour le consulter de temps en temps comme on consulte un miroir, avec l'espoir qu'il la *reconnaîtrait* enfin : me vois-tu enfin, joli miroir, me vois-tu enfin *vivante* à tes yeux ? Non, lui répondait le miroir. Non, lui répondait toujours le beau miroir. Non, je ne te vois pas, et ne pourrais jamais te voir, puisque tu es morte depuis longtemps déjà.

La première fois qu'elle était morte, elle avait sept ans. Il part et ne la revoit plus, et ses anniversaires défilent sans qu'il se manifeste. Il n'y a que les enfants morts que les parents ne voient pas, n'appellent plus. Et c'est ainsi qu'elle avait vécu, comme une présence fantomatique que les hommes traversaient et qu'elle traversait sans marquer. Seul un fantôme ne laisse pas de traces. Seuls les morts ne marquent pas. Alors elle s'était vue dans le manteau de Greta Garbo : c'était d'elle dont s'écoulaient des flots de sang. C'était elle qui était morte à l'intérieur du vêtement. C'est pour porter sa mort qu'elle avait acheté ce manteau, le manteau d'une femme dont le corps s'était désintégré depuis longtemps. Et ils étaient tous venus à la vente de la garde-robe de Garbo pour acheter un petit morceau de leur propre mort, un fragment qui témoignerait qu'eux aussi, portaient leur mort sur eux. Quand elle se regardait sur les photos, elle avait toujours l'impression d'un mensonge : qui était cette femme étrange qui souriait ou ne souriait pas, qui vieillissait à sa place ? Cela ne pouvait pas être elle, puisqu'elle était morte depuis longtemps déjà. Cette femme n'était qu'un artefact de vie, un simulacre de présence. La morte et son médium en même temps : à chaque fois qu'elle était en compagnie des autres, elle devenait le médium d'elle-même, obligée de se faire apparaître comme un spirite convoque un esprit à la table d'une séance. Et cela l'épuisait. Alors la plupart du temps, elle préférait la solitude : seule l'intimité de son appartement la préservait des faux-semblants. Elle pouvait y évoluer telle qu'elle était vraiment, des particules de poussière dans un rayon de soleil, une forme évanescente dans un rayon de lune ; alors elle les avait tous quittés, parce qu'elle savait ce qu'ils ne savaient pas encore, que leur amour n'était qu'une illusion, parce que l'amour est impossible entre un humain et un fantôme ; elle savait d'avance qu'elle resterait condamnée à vivre séparée de la vie, séparée de leur vie, à passer l'éternité à s'acheter des vêtements pour se faire croire qu'elle avait un corps, à errer infiniment sans jamais s'ancrer nulle part.

Elle est morte le jour où, après avoir passé treize ans dans son lit, on l'avait enveloppée dans son peignoir, transportée jusqu'au salon et étendue sur ce divan où elle ne s'était plus assise depuis dix ans. En 1990, c'est Garbo qui était morte, et elle avait appelé un ami pour lui dire seulement : « l'autre femme est morte », et elle avait raccroché. Deux ans plus tard, c'était son tour. Elle s'était retranchée pendant plus d'une décennie dans la chambre de son appartement, au 12 avenue Montaigne, à Paris, sans plus jamais en sortir, et c'était pourtant la réclusion de Garbo qui avait focalisé toute l'attention, c'est le retrait de Garbo qui était devenu un mythe, alors qu'elle, elle pouvait bien s'enterrer vivante, cela n'intéressait personne. Au final, c'est Garbo qui avait gagné la partie qu'elles s'étaient livrée pendant des décennies à travers le cinéma, mais aussi dans un domaine plus sensible, celui de la vie privée, puisqu'elles avaient eu quelques amant(e)s en commun, dont John Gilbert et Mercedes de Acosta – même si dans leur cœur, Dietrich passait toujours après Garbo. Il paraît même qu'elles avaient eu une brève liaison dans le Berlin des années vingt : après s'être rencontrées en 1925 sur le tournage de *La Rue sans joie* de Pabst, où Garbo tenait le rôle principal, Marlene Dietrich l'aurait entraînée dans les clubs gay du Berlin underground, puis se serait vantée d'avoir fait l'amour avec elle, révélant que ses dessous n'étaient pas très nets. Alors Garbo l'avait brutalement congédiée. Dès leurs débuts à Hollywood, elles firent le pacte de ne jamais révéler qu'elles se connaissaient. Des décennies plus tard, après avoir, comme Garbo, séduit la terre entière, elle finirait seule et recluse dans son appartement parisien. Comme Garbo, elle avait souffert d'être un symbole, une icône que chacun voulait posséder, dévorer, et longtemps, elle avait accepté le jeu, vampirisant ceux qui la vampirisaient, jusqu'au jour où son corps et son visage avaient trahi l'image qu'un rayon de lumière projetait encore sur grand écran. Elle n'avait pas tant souffert d'avoir vieilli que de ne plus pouvoir alimenter sa légende – la légende n'était pas la femme, c'était ce corps artificiel qui l'avait vampirisée toute sa vie, que la star devait nourrir de son sang, et qu'elle jetait en pâture à ses millions de fans. Alors, quand elle n'en avait plus eu les moyens, elle ne s'était pas seulement exclue du spectacle, elle s'était soustraite à la vie. Elle avait passé dix ans dans son lit, reconstituant autour de ce radeau fixe un campement pour survivre à cette dernière guerre, cette guerre qu'elle livrait contre son image, pour tenir à distance tous ces autres qui, depuis l'extérieur, tentaient de l'assaillir en y croyant encore. Elle avait disposé autour d'elle plusieurs tables chargées du nécessaire – médicaments, téléphone, journaux, nourriture, télévision, bouteilles de champagne qu'elle vidait de plus en plus vite. Les robes que Christian Dior lui avait créées, elle ne les avait plus revues. Elles dormaient dans son dressing depuis quinze ans, inutiles comme les rêves qui nous font jouir la nuit mais se dissipent à l'aube. Alors les cadavres de bouteilles s'étaient accumulés au pied de son lit. Et puis un jour, elle se mit même à les haïr, ces robes haute couture qu'elle n'avait plus les moyens d'animer.

Elle non plus, elle n'avait pas eu les moyens, ceux de vivre un amour, comme une robe haute couture dont elle avait rêvé toutes les nuits mais réalisait dans la pâleur du petit matin qu'elle n'aurait jamais les moyens d'acquérir. Alors elle avait souffert de la voir, cette robe haute couture, portée par d'autres femmes dans des soirées mondaines, ces rares femmes qui pouvaient se l'offrir et s'afficher avec, héritières, aristocrates, femmes dont la fortune, la plupart du temps, ne dépendait ni de leur génie, ni de leur capacité à travailler mais de leurs parents, ou d'un ex-mari ; seules ces femmes ayant titres et fortune pouvaient parer leurs corps de cette robe. Ne pleure pas, ne pleure pas ma chérie, lui disait alors la robe. Tu sais bien que tu ne pourras jamais m'avoir, et encore moins me porter. Mais elle ne comprenait pas, et se remettait à pleurer. Mais enfin, lui dit la robe, tu ne vois pas ? Tu ne vois pas que tu es invisible ?

« Je suis prêt à sacrifier ma meilleure scène pour améliorer le film... n'importe quoi... je pourrai toujours le remettre. C'est ça la différence avec la vie, tu ne peux pas revenir en arrière. »
(Francis Ford Coppola)

Pourrait-il, un jour, revenir en arrière, et tout défaire ? Allongé sur son lit dans la chambre 118 du Cadogan, regrettait-il d'avoir pris tout cela un peu trop au sérieux, d'avoir cru, pour une fois, un peu trop littéralement à la vie, alors que ce n'était qu'une illusion ? Ses amis l'avaient supplié de s'enfuir, de prendre le train de Douvres pour se rendre en France. « Le train est parti. Il est trop tard, leur dit-il, je vais rester purger ma peine, quelle qu'elle soit. » Il était cinq heures. Sur son lit, une valise à moitié défaite. Il savait qu'ils n'allaient pas tarder à l'arrêter. Il les attendait en regardant fixement, par-delà les bow-windows, les arbres sombres de Cadogan Gardens.

A six heures dix, des coups retentirent à la porte. Alors il détourna les yeux et les baissa au pied du lit où il avait disposé à plat, comme autant de petits cadavres, les manteaux fabuleux qu'il avait passé sa vie à s'inventer. Ils étaient tous là, manteau en forme de violoncelle, manteau en alpaga violet, redingote de velours pourpre... Il contemplait la peau de ses rêves gisant à terre, et il se demandait si ces pauvres hères, qui lui avaient un temps offert l'illusion du romanesque, celle d'une liberté possible, auraient le pouvoir, en cet instant, de lui venir en aide. Mais ils restaient là, implacablement inertes, petits témoins dérisoires de ce qu'ils n'avaient jamais cessé d'être : des illusions. Alors, un serveur entra suivi de deux inspecteurs. Wilde se leva, tituba un instant et voulut emporter un livre et un manteau. Mais il se figea, les regardant l'un après l'autre, ne sachant plus lequel choisir.

Ils frappèrent plusieurs fois, longuement, mais personne ne vint ouvrir. Alors ils entrèrent par effraction. Personne ne l'avait vue depuis des semaines. Elle n'allait plus travailler depuis des mois, ne répondait plus aux appels de la banque affolée, elle ne répondait même plus, depuis plusieurs jours, à ses amis les plus proches. Ils furent d'abord saisis par une atmosphère asphyxiante : les effluves infectés de milliers de fleurs qu'on aurait laissées faner jusqu'au pourrissement, d'eau stagnante et malade. Quand ils pénétrèrent dans le salon, ce qu'ils virent les fit d'abord reculer. Devant eux, occupant toute la hauteur et la largeur de la pièce, se dressait un habitacle entièrement constitué de centaines de vêtements, agglomérés les uns aux autres par un liquide qui avait séché par plaques et les maintenait dans une forme compacte, une forme oblongue, comme le cocon d'un ver à soie, le cocon d'un insecte géant qui avait muté pour prendre une autre forme, sa forme définitive, qui aurait accompli son ultime métamorphose. Alors ils firent le tour du cocon et s'aperçurent qu'il était éventré. Ils portèrent leurs mains à leurs lèvres, réprimant leur dégoût, et commencèrent à avancer pour voir si, à l'intérieur, il y avait quelqu'un. Mais ils ne trouvèrent rien d'autre que le manteau de Greta Garbo, fermé, rigide, aussi hermétique qu'un coffre de fer. Ils parvinrent à l'extraire du cocon et à l'ouvrir, alors en tomba une pluie de feuilles de papier couvertes d'un texte fragmenté, un texte décousu car elle avait eu besoin d'en découdre, de découdre la robe maléfique qui la retenait prisonnière depuis trop longtemps déjà.

ÉPILOGUE

2053

Son corps s'était désintégré depuis longtemps et pourtant il se tenait devant eux, le manteau de Greta Garbo qu'elle avait acheté à Los Angeles un matin d'hiver ensoleillé quatre décennies plus tôt, et qu'elle avait légué au musée de la Mode avant de s'éteindre. Il se tenait droit, digne, absurde dans une cage de verre, offert à tous les regards le temps d'une exposition sur les garde-robes des stars hollywoodiennes. Il était là, ne témoignant que de lui-même – dans quel état était Garbo quand elle l'avait acheté, qu'éprouvait-elle en le portant ? Le manteau restait mutique. Elle-même n'en avait jamais rien su. A l'époque, elle se sentait dévastée par une rupture, croyant qu'elle ne s'en remettrait jamais. Aujourd'hui, elle savait, mais trop tard, que rien ni personne ne vaut qu'on s'emmure vive dans un corps-sarcophage. Elle savait, enfin, que l'amour est une magnifique illusion dont il faut jouir vite, tant son essence est éphémère. Et elle, elle était celle qui n'avait rien compris, rêvant d'un absolu comme on se bat pour un idéal, une utopie impossible qui n'existait que dans une marge merveilleuse de sa pauvre tête. Seule l'écriture lui avait offert cette vie alternative dont elle avait toujours rêvé, un espace de liberté totale, où l'on pouvait faire apparaître et disparaître, où les mots avaient le pouvoir magique d'incarner les choses : il lui suffisait d'écrire qu'elle portait une longue cape de plumes noires pour se donner l'illusion de la posséder, de l'avoir vêtue, et dès lors elle n'avait même plus besoin de l'acheter. Aujourd'hui, plus personne n'insufflait la chaleur de son corps à ce manteau rouge qui s'était promené dans les rues de New York, puis dans les rues de Paris, et un jour de Noël 2012, sous les arcades du Palais-Royal. Dans un mois, l'exposition terminée, il regagnerait sa nouvelle demeure, une longue boîte aussi rigide qu'un cercueil, rangée sur des étagères métalliques entre la boîte qui contenait l'une des robes Christian Dior de Marlene Dietrich et une autre où gisait l'ensemble Emilio Pucci de Marilyn Monroe. Ils dormiraient ainsi de longues années dans un vaste entrepôt frigorifié de la banlieue parisienne, une morgue pour vêtements précieux non loin du cimetière où elle avait failli reposer dans une boîte identique. Sauf qu'elle avait refusé le lent pourrissement des chairs qui l'avaient, un temps, incarnée, et avait choisi de partir en fumée.

2087

Ils commencèrent à déserter les magasins, parce qu'une seule marque détenait le monopole de la fabrication de vêtements. Elle n'existait, comme Amazon naguère, que sur Internet. Il suffisait de choisir un modèle sur des milliards proposés, puis un tissu, d'enregistrer ses mensurations et l'on recevait, une semaine plus tard, son nouveau vêtement parfaitement confectionné. Au départ, les clients avaient tendance à reproduire ce qui existait déjà, des modèles de créateurs qu'ils avaient vus en photo mais qu'ils n'avaient pas les moyens d'acheter. Peu à peu, cette liberté qu'ils avaient à choisir, cette accessibilité, cette possibilité à faire réaliser leurs désirs les rendirent plus créatifs : ils cliquaient sur tel col, telle manche, telle longueur. Pourtant, ils continuèrent à se copier les uns les autres.

2358

La révolution physique qui venait de s'opérer bouleversait toute l'économie et la société. Une sorte d'ordinateur, de la taille d'une très fine plaquette, greffée sous la peau lors d'une brève intervention chirurgicale, permettait au porteur de faire apparaître devant lui des modèles de vêtements. Il n'avait plus qu'à penser à celui qu'il désirait porter ce jour-là et la plaque greffée à même son corps le reproduisait à ses parfaites mensurations sous forme d'une illusion autour de son corps. Puis, il en réglait la température, et il sortait ainsi, paré de son rêve.

3002

Le cadavre, énorme, avait deux paires d'yeux, trois bras, deux jambes dont, sur l'une d'elles, sortait un troisième pied. On retrouva ce corps monstrueux gisant sur le sol d'un laboratoire dans le New Jersey. On y reconnaissait les traits d'un scientifique célèbre, mais étrangement dilatés, comme si son corps avait tenté d'absorber un autre corps. Les services secrets étouffèrent l'affaire. Personne n'entendit parler de l'hybride.

3052

La fusion d'un corps avec un autre corps était à présent possible, et le plaisir que procurait cette fusion était plus fort que celui des corps pendant l'amour. Un groupe de scientifiques avait repris les travaux de ce savant disparu lors d'une expérience malheureuse, une cinquantaine d'années auparavant. Ils avaient également retrouvé, dans son ordinateur, une nouvelle intitulée *La Mouche* écrite il y avait plus de mille ans par un certain George Langelaan, qui avait manifestement inspiré le savant dans sa conception d'une capsule dans laquelle deux corps pouvaient fusionner et n'en former plus qu'un. D'apparence monstrueuse, ce corps répondait parfaitement au désir secret de l'espèce humaine : entrer dans la peau de l'autre, revêtir, voire devenir cet autre tant désiré, ne plus faire qu'un avec lui, éprouver ses émotions, connaître ses pensées, communiquer avec lui au plus intime, directement, sans plus avoir besoin d'outils technologiques autres que la capsule – et cette fusion totale générait une plénitude, une extase qui ne tarda pas à devenir une drogue. Puis il suffisait à l'hybride de rentrer une nouvelle fois dans la capsule pour que les deux corps retrouvent leurs formes distinctes.

3062

Le gouvernement décida de commercialiser ces capsules afin de remplacer le rapport sexuel par l'hybridation, ce qui permettrait d'éviter la surpopulation, problème alarmant pour la planète en ce quatrième millénaire. Le plaisir de la fusion était tel, le désir de devenir l'autre le temps d'un instant, de revêtir sa peau s'en trouvaient si parfaitement exaucés que la vente de la machine fut un succès.

3072

Alors le langage disparut – les êtres, pouvant communiquer émotionnellement dans un même corps, n'avaient plus besoin de se parler pour s'exprimer. Quand le langage devint obsolète, quand le besoin de nommer son expérience, ses sentiments, de les partager, ou encore le besoin de comprendre ce qu'éprouvait l'autre, se trouvèrent si parfaitement comblés par la fusion, alors l'art et la littérature tombèrent eux aussi en désuétude. Les êtres sortirent de moins en moins. Ils passaient leur temps chez eux à se nourrir puis à s'hybrider. Ils en oublièrent de faire l'amour. Enfin, ils cessèrent de se reproduire.

3084

Ce que la possibilité de s'hybrider ne modifia en revanche jamais, ce fut le désir de possession inhérent à l'espèce humaine, son désir de conquérir, d'occuper. Aussi, il advint que l'un, fusionné au corps de l'autre, refusât de quitter le corps hybride qu'ils avaient formé pour regagner son corps unique. Les deux entités humaines, unifiées en un même corps, se mirent à se battre, l'un essayant de faire sortir l'autre de force de leur habitacle de peau, mais l'autre résistait toujours, ne voulant plus se retrouver seul dans sa peau individuelle, refusant sa condamnation à la solitude, refusant le risque d'éprouver à nouveau le manque, de se sentir nu et vulnérable sans la peau de l'autre, de se sentir vide et déjà mort sans le corps de l'autre. Alors, ils s'entredévorèrent.

BIBLIOGRAPHIE

Barry Paris : *Greta Garbo* (Seuil) Traduction de l'américain par Georges Goldfayn

David Bret : *Greta Garbo* (The Robson Press)

Sven Broman : *Conversations with Greta Garbo* (Viking)

Julien's Auctions : *Greta Garbo* (catalogue de la vente aux enchères de la garde-robe de Garbo)

Donald Spoto : *Spellbound by Beauty : Alfred Hitchcock and His Leading Ladies* (Crown Publishing Group)

Hitchcock/Truffaut (Gallimard)

Deborah Nadoolman Landis : *Hollywood Costumes* (V&A)

Sam Wasson : *5ᵉ Avenue, 5 heures du matin* (Sonatine) Traduction de l'américain par Françoise Smith

Elsa Schiaparelli : *Shocking Life* (V&A)

Daniel Sibony : *La Haine du désir* (Bourgois/Titres)

Jean-Jacques Schuhl : *Télex n° 1* (Gallimard)

H.G. Wells : *L'Homme invisible* (Le Livre de poche) Traduction de l'anglais par Arlette Rosenblum

Villiers de l'Isle-Adam : *L'Eve future* (Folio)

J.-K. Huysmans : *A rebours* (Babel)

Jean Rhys : *Bonjour minuit* (Denoël) Traduction de l'anglais par Jacqueline Bernard

Christian Esquevin : *Adrian* (The Monacelli Press)

Kohle Yohannan : *Valentina, American Couture and The Cult of Celebrity* (Rizzoli)

La Comtesse de Ségur : *Les Petites Filles modèles* (Folio)

Nicholas Foulkes : *Bals* (Assouline)

Scot D. Ryersson and Michael Orlando Yaccarino : *The Marchesa Casati, Portraits of a Muse* (Abrams)

Nathaniel Hawthorne : *Le Voile noir du pasteur*, dans *Contes et Récits* (Babel) Traduction de l'américain par Muriel Zagha

Mary Shelley : *Frankenstein* (Folio) Traduction de l'anglais par Paul Couturiau

Louise de Vilmorin, Jean Cocteau : *Correspondance croisée* (Gallimard)

Jean Cocteau : *Œuvres* (Pléiade)

Susan Sontag : *Le Style « Camp »*, dans le recueil *L'œuvre parle* (Christian Bourgois/Titres) Traduction de l'américain par Guy Durand

Georgie Greig, Lucian Freud : *Rendez-vous avec Lucian Freud* (Christian Bourgois) Traduction de l'anglais par Michel Marny

Jon Savage : *England's Dreaming* (Allia) Traduction de l'anglais par Denys Ridrimont

Chris Sullivan : *We Can Be Heroes, London Clubland 1976-1984* (Unbound)

Richard Ellmann : *Oscar Wilde* (Gallimard) Traduction de l'anglais par Marie Tadié et Philippe Delamare

Oscar Wilde : *Le Portrait de Dorian Gray* (Folio) Traduction de l'anglais par Jean Gattégno

Oscar Wilde : *Œuvres* (La Pochothèque)

Bram Stoker : *Dracula* (Pocket) Traduction de l'anglais de Jacques Finné

Sheridan Le Fanu : *Carmilla* (Babel) Traduction de
l'anglais par Gaïd Girard

Alain Pozzuoli : *Bram Stoker. Dans l'ombre de Dracula*
(Pascal Galodé)

Eleanor Coppola : *Apocalypse Now : Journal* (Sonatine)
Traduction de l'américain par Philippe Aronson

Bret Easton Ellis : *American Psycho* (10/18) Traduction
de l'américain par Alain Defosse

Liz Goldwyn : *Pretty Things* (It Books)

Madame du Châtelet : *Discours sur le bonheur* (Rivages)

REMERCIEMENTS

Je remercie *Les Inrockuptibles, Vogue* et *Vogue Hommes International* pour leur confiance, et la possibilité qu'ils m'ont donnée de réaliser toutes ces interviews. Je remercie aussi la société de production Cinétévé, qui a cru à mon projet de documentaire sur Garbo et m'a envoyée suivre la vente de sa garde-robe à Los Angeles.

Les interviews de Derek Reisfield, Isabelle Huppert, Jean-Jacques Schuhl, Karl Lagerfeld, Azzedine Alaïa, Giambattista Valli ont été réalisées par l'auteure.

Cet ouvrage a été imprimé
par CPI BUSSIERE
à Saint-Amand-Montrond (Cher)
en août 2014

Mise en pages PCA
44400 Rezé

Grasset s'engage pour
l'environnement en réduisant
l'empreinte carbone de ses livres.
Celle de cet exemplaire est de :
750 g éq. CO$_2$
Rendez-vous sur
www.grasset-durable.fr

PAPIER À BASE DE
FIBRES CERTIFIÉES

N° d'édition : 18491
N° d'impression : 2011343
Première édition : dépôt légal : septembre 2014
Nouveau tirage : dépôt légal : septembre 2014
Imprimé en France